みがけ！コミュニケーションスキル

中上級学習者のための
ブラッシュアップ日本語会話

許可を求める / 依頼する / 謝罪する / 誘う / 申し出をする / 助言する / 不満を伝える / ほめる

清水崇文 編著

スリーエーネットワーク

©2013 by SHIMIZU Takafumi

All rights reserved. No part of this publication may be reproduced, stored in a retrieval system or transmitted in any form or by any means, electronic, mechanical, photocopying, recording, or otherwise, without the prior written permission of the Publisher.

Published by 3A Corporation.
Trusty Kojimachi Bldg., 2F, 4, Kojimachi 3-Chome, Chiyoda-ku, Tokyo 102-0083, Japan

ISBN978-4-88319-655-5 C0081

First published 2013
Printed in Japan

はじめに

　本書は、「相手との良好な関係を確立・維持しながら、自分の意図や考えをきちんと伝えることができる能力」の養成を目的とした中上級用会話教材です。ある程度まとまった内容を流暢に話せる中上級レベルの学習者であっても、場面や相手の気持ちに配慮しながら適切な言い方を選んで話すのは難しいものです。しかも、こうした運用の側面は、「正解」のある文法とは違って教えることが難しいため、多くの学習者は教室で体系的に学んでいないというのが実情でしょう。

　本書は、こうした問題意識から出発し、「社会生活の様々な場面で応用できるような適切な言い方に関する知識を効率的・体系的に学んでもらう」ことを目標に作られました。そのために、以下のような工夫がなされています。(詳しくは、別冊8ページの「本書の特徴」をご覧ください。)

- 表現やストラテジーの提示の仕方、会話場面の設定などに、語用論の理論(発話行為とポライトネス)を応用しました。
- 適切さへの気づきを促す聞き取り課題(「聞いてみよう」)、様々な表現・ストラテジーとその選択基準の体系的・段階的な学習(「くわしく学ぼう」)、具体的な文脈におけるコミュニカティブな会話練習(「話してみよう」)を通して、「気づく力」と「選択する力」を高められるように設計しました。
- 適切な言い方の選択に影響する複雑多岐な要因を単純な形に整理し、さらにアイコンや挿絵によってビジュアル化して一目でわかるように提示しました。
- 小さく単純なものからより大きく複雑なものへ(「基本フレーズ」から「よく使われる表現」へ、文から談話へ)と段階的に学べるように、導入・練習を構成しました。

　これらは、従来の日本語会話教材とは一味違う本書の特色です。このような本書が、日頃日本人と交流する機会の多い学習者の方々や、日本語での円滑なコミュニケーションの仕方をしっかりと身に付けたいと思っている学習者の方々のお役に立つことを願っています。

　最後になりましたが、「語用論的能力の養成に主眼を置いた日本語教材を作りたい」という私たちの熱い思いをご理解くださり、本書がこのような形で日の目を見るまで惜しみないサポートをしてくださった株式会社スリーエーネットワークの佐野智子さんに心から感謝いたします。

2013年4月
清水崇文

目 次

はじめに
この本をお使いになる学習者のみなさんへ ……………………………………… (009)
To the learners ……………………………………… (012)
致本书学习者 ……………………………………… (016)

ユニット1　許可を求める

セクション1　許可を求める ……………………………………… 001
聞いてみよう
くわしく学ぼう
　　1. 許可を求める表現　　　　　（1）目上の人や親しくない人に許可を求めるとき
　　　　　　　　　　　　　　　　（2）対等・目下で親しい人に許可を求めるとき
　　2. 許可を求める表現とともに使われるストラテジー
話してみよう

会話のヒント　どんなときに許可を求めるの？

セクション2　許可の求めに答える ……………………………………… 009
聞いてみよう
くわしく学ぼう
　　1. 許可するとき
　　2. 許可しないとき
　　3. すぐには答えられないとき
話してみよう

会話のヒント　「どうぞ」と「どうぞどうぞ」はどう違う？
会話のヒント　「私は構わないけど」は許可しているの？

セクション3　総合練習 ……………………………………… 017
聞いてみよう
話してみよう

ユニット2　依頼する

セクション1　依頼する ……………………………………… 019
聞いてみよう
くわしく学ぼう
　　1. 依頼する表現　　　　　　　（1）目上の人や親しくない人に依頼するとき
　　　　　　　　　　　　　　　　（2）対等・目下で親しい人に依頼するとき

2. 依頼する表現とともに使われるストラテジー
　話してみよう

会話のヒント｜依頼する表現を使わずに依頼する
会話のヒント｜「〜てください」はどうして使えないの？

セクション2　依頼に答える ················· 029
　聞いてみよう
　くわしく学ぼう
　　　1. 依頼を引き受けるとき
　　　2. 依頼を断るとき
　　　3. すぐには答えられないとき
　話してみよう

会話のヒント｜「もったいない」はほめことば？

セクション3　総合練習 ················· 036
　聞いてみよう
　話してみよう

ユニット3　謝罪する

セクション1　謝罪する ················· 039
　聞いてみよう
　くわしく学ぼう
　　　1. 謝罪する表現　　　　　（1）目上の人や親しくない人に謝罪するとき
　　　　　　　　　　　　　　　（2）対等・目下で親しい人に謝罪するとき
　　　2. 謝罪する表現とともに使われるストラテジー
　話してみよう

会話のヒント｜「ごめんね」の「ね」って何？

セクション2　謝罪に答える ················· 047
　聞いてみよう
　くわしく学ぼう
　　　1. 謝罪を受け入れるとき
　　　2. 謝罪を受け入れないとき
　　　3. すぐには答えられないとき
　話してみよう

会話のヒント｜「いえいえ」で受け入れる

セクション3　総合練習 ················· 053
　聞いてみよう
　話してみよう

ユニット4　誘う

セクション1　誘う ……………………………… 055
- 聞いてみよう
- くわしく学ぼう
  1. 誘う表現　　　　　　　（1）目上の人や親しくない人を誘うとき
  　　　　　　　　　　　　（2）対等・目下で親しい人を誘うとき
  2. 誘う表現とともに使われるストラテジー
- 話してみよう

会話のヒント｜デートOK？　それとも…？

セクション2　誘いに答える ……………………………… 063
- 聞いてみよう
- くわしく学ぼう
  1. 誘いに応じるとき
  2. 誘いを断るとき
  3. すぐには答えられないとき
- 話してみよう

会話のヒント｜断るとき、くわしい理由を説明しなくてもいいの？

セクション3　総合練習 ……………………………… 070
- 聞いてみよう
- 話してみよう

ユニット5　申し出をする

セクション1　申し出をする ……………………………… 073
- 聞いてみよう
- くわしく学ぼう
  1. 申し出をする表現　　　（1）目上の人や親しくない人に申し出をするとき
  　　　　　　　　　　　　（2）対等・目下で親しい人に申し出をするとき
  2. 申し出をする表現とともに使われるストラテジー
- 話してみよう

会話のヒント｜「〜てあげる」を使った申し出の注意点

セクション2　申し出に答える ……………………………… 083
- 聞いてみよう
- くわしく学ぼう
  1. 申し出を受け入れるとき
  2. 申し出を断るとき
  3. すぐには答えられないとき
- 話してみよう

会話のヒント｜申し出を断るときに理由は必要？

| セクション3　　総合練習 ……………………………………… 090
   | 聞いてみよう
   | 話してみよう

ユニット6　助言する

セクション1　　助言する ……………………………………… 093
   | 聞いてみよう
   | くわしく学ぼう
   　　　1. 助言する表現　　　　　　（1）目上の人や親しくない人に助言するとき
   　　　　　　　　　　　　　　　　（2）対等・目下で親しい人に助言するとき
   　　　2. 助言する表現とともに使われるストラテジー
   | 話してみよう

会話のヒント 「余計なおせっかい」

セクション2　　助言に答える ………………………………… 103
   | 聞いてみよう
   | くわしく学ぼう
   　　　1. 助言を受け入れるとき
   　　　2. 助言を受け入れないとき
   　　　3. はっきり答えたくないとき
   | 話してみよう

会話のヒント 「よく考えてみます」と言ったら本当に考える？
会話のヒント 助言をされた後はどうするの？

セクション3　　総合練習 ……………………………………… 111
   | 聞いてみよう
   | 話してみよう

ユニット7　不満を伝える

セクション1　　不満を伝える ………………………………… 113
   | 聞いてみよう
   | くわしく学ぼう
   　　　1. 不満を伝える表現　　　（1）目上の人や親しくない人に不満を伝えるとき
   　　　　　　　　　　　　　　　　（2）対等・目下で親しい人に不満を伝えるとき
   　　　2. 不満を伝える表現とともに使われるストラテジー
   | 話してみよう

会話のヒント 日本人に嫌がられる不満の伝え方

セクション2　　言われた不満に答える ……………………………………… 123
- 聞いてみよう
- くわしく学ぼう
  - 1. 不満を受け入れるとき
  - 2. 不満を受け入れないとき
  - 3. すぐには答えられないとき
- 話してみよう

会話のヒント 「まず謝ること」が大事です

セクション3　　総合練習 …………………………………………………… 130
- 聞いてみよう
- 話してみよう

ユニット8　　ほめる

セクション1　　ほめる ……………………………………………………… 133
- 聞いてみよう
- くわしく学ぼう
  - 1. ほめる表現　　　　　　（1）目上の人や親しくない人をほめるとき
  - 　　　　　　　　　　　　（2）対等・目下で親しい人をほめるとき
  - 2. ほめる表現とともに使われるストラテジー
- 話してみよう

会話のヒント 目上の人の能力・実績をほめるときの注意点

セクション2　　ほめことばに答える ………………………………………… 141
- 聞いてみよう
- くわしく学ぼう
  - 1. ほめことばを受け入れるとき
  - 2. ほめことばを受け入れないとき
  - 3. はっきり答えたくないとき
- 話してみよう

会話のヒント 日本人はほめことばを受け入れないの？
会話のヒント ほめことばを受け入れないときには、使う表現に注意

セクション3　　総合練習 …………………………………………………… 149
- 聞いてみよう
- 話してみよう

セクション3　総合練習　聞いてみよう　会話スクリプト ……………………………… 151
セクション3　総合練習　話してみよう　ロールカード ………………………………… 163

この本をお使いになる学習者のみなさんへ

『みがけ！ コミュニケーションスキル 中上級学習者のためのブラッシュアップ日本語会話』へようこそ！

あなたが日本語を学ぶ目的は何ですか。もしそれが「社会生活のいろいろな場面で日本人と上手にコミュニケーションできるようになること」でしたら、この本はあなたのためにあります！

中級、上級レベルのみなさんは、日本語でいろいろなことが話せるようになっていることでしょう。自分の考えや気持ちをはっきりと伝えることも、かなり上手にできるかもしれません。しかし、いくら自分の言いたいことをはっきりと伝えることができても、言い方が悪くて相手が嫌な気持ちになってしまい、その人との関係が悪くなってしまったとしたら、コミュニケーションがうまくできているとはいえません。

このことから分かることは、コミュニケーションが上手にできるようになるためには、日本語を正確に使えるだけでなく、適切に使えるようにもならなくてはいけないということです。「適切に使う」というのは、「相手や周りの人が嫌な気持ちにならないように、会話の場面や相手に応じた言い方を選んで話す」ということです。

私たちは普段ことばを使って、依頼をしたり、誘ったり、不満を伝えたりしています。そのときには、相手とはどんな関係か（目上か目下か、親しいか親しくないか）、相手はどう思うか（迷惑だと思うか、嬉しく思うか）、自分が言ったことを相手は受け入れてくれるか、といったことを考えながら、最も適切な言い方を選んでいます。このこと自体はどの言語でも同じですが、「適切な言い方を選ぶための大切な基準は何か」、「ある状況ではどのような言い方が最も適切か」といったことは、言語や文化によって違うことも多いのです。

ですから、もしかしたらあなたが「適切だ」と思って選んだ言い方が、相手の日本人には不適切な言い方として聞こえていたり、そのためにあなたのことを「失礼な人だ」とか「自分勝手な人だ」と誤解していたりするかもしれません。しかも、皮肉なことに、日本語が上手に話せる人ほどこうした誤解を受ける可能性が高くなってしまうのです。そうならないためにも、ぜひこの本で勉強して、いつでも適切な日本語を使えるようになってもらいたいと思います。

この本は、みなさんが日本人とコミュニケーションするときに、「相手の気持ちに配慮しながらも、自分の考えや気持ちをきちんと伝えることができるようになる」ことを目的として作られました。次の8つのユニットを通して、場面や相手にそった適切なことばの使い方を効率的・体系的に学ぶことができるようになっています。

①許可を求める、②依頼する、③謝罪する、④誘う
⑤申し出をする、⑥助言する、⑦不満を伝える、⑧ほめる

それぞれのユニットは、3つのセクションに分かれています。セクション1ではその行為をするとき（例：許可を求めるとき）、セクション2ではその行為に対して答えるとき（例：許可の求めに答えるとき）のやり方を学びます。セクション3では、セクション1，2で学んだことを使って長い会話を聞き取ったり、長い会話を話す練習をします。
　それぞれのセクションは、次のようになっています。

セクション 1	● 聞いてみよう	● くわしく学ぼう	● 話してみよう	● 会話のヒント
セクション 2	● 聞いてみよう	● くわしく学ぼう	● 話してみよう	● 会話のヒント
セクション 3	● 聞いてみよう	● 話してみよう		

● 聞いてみよう

　セクション1と2では、CDの短い会話を聞いて、話し手と聞き手の関係や会話の状況、使われている表現やストラテジーを聞き取る練習をします。その後で、それぞれの会話を比べて、言い方の違いについて気がついたことをクラスメイトと話し合います（一人で学習している場合は、気がついたことを書き出します）。セクション3では、長い会話を聞いて、内容や表現を聞き取ります。

● くわしく学ぼう

　はじめに会話のスクリプトを読んで、会話の状況、内容、表現について確認します。それから、表現とストラテジーを学習します。セクション1では、はじめにその行為を行う表現（例：許可を求める表現）を学習してから、その表現とともに使われるストラテジー（例：許可を求める表現とともに使われるストラテジー）を学習します。ストラテジーとは、相手の気持ちに対する配慮を表したり、相手を説得するために、行為を行う表現と一緒に使うことばのことです。会話の流れの中でのストラテジーの組み合わせ方についても学びます。セクション2では、①応じる場合、②応じない場合、③はっきり（すぐには）答えない場合に使われるストラテジーと表現を学びます。

● 話してみよう

　セクション1と2では、はじめに「くわしく学ぼう」で見た会話をペアになって練習します。それから、新しい設定で短い会話をする練習をします。セクション3では、ロールカードに基づいて、ロールプレイ（長い会話を話す練習）をします。

● 会話のヒント

　関連する情報をコラム形式で紹介しています。表現やストラテジーについての詳しい情報のほか、「日本的コミュニケーション」の文化的背景などについても説明しているので、異文化コミュニケーションの読み物としても楽しめます。

＊この本には、「練習」「まとめの練習」「話してみよう」「総合練習」という4種類の練習問題があります。これらは、「短く簡単な文」から「長く複雑な会話」へ、「表現を書く練習」から「会話を話す練習」へと、少しずつ難しくなるように並んでいます。

＊この本では、一目でわかるように、会話の状況を以下のようなアイコンで示しています。

- ：目上の相手
- ：対等・目下の相手
- ：親しい相手
- ：親しくない相手
- ：相手にかかる迷惑や負担が大きい
- ：相手にかかる迷惑や負担が小さい
- ：相手が興味を持っている、あるいは相手が申し出や助言が必要だということを話し手は知っている
- ：相手が興味を持っている、あるいは相手が申し出や助言が必要だということを話し手は知らない
- ：不満の原因である事態を修復できる
- ：不満の原因である事態を修復できない

＊読み方が難しいと思われる漢字には、各ページの初出時にのみルビを付けました。また、難しいと思われる語彙は、別冊に一覧表（英語訳・中国語訳）を掲載しています。

To the learners

Welcome to *Brush Up Your Communication Skills in Japanese! —Japanese Conversation for Intermediate to advanced - level Learners—*.
If one of your goals of learning Japanese is to become a skillful communicator in Japanese in various social situations, then this textbook will serve you perfectly!

Being an intermediate or advanced learner, you must have acquired the competence to talk about many topics in Japanese. You might even have reached the level where you can convey precisely what your ideas or feelings are with relative ease. However, if the way you speak, even though you mean no harm, causes offense and ends up in souring relations, then that particular conversation was far from successful.

Thus it is essential not only to be **accurate**, but also to be **appropriate** in the way you communicate, if you wish to become a good communicator. And to be "appropriate", you must be adept at choosing suitable words and phrases according to the given situation so that what you say carries no risk of offending your conversation partner(s).

In our daily life, we make use of language to serve many purposes: to make requests, to invite people, to complain and so forth. While doing these actions, we are carefully considering a number of factors, such as the relationship between ourselves and our counterpart (in terms of power and intimacy), what he / she will feel about the move we are about to make (be pleased or displeased) and whether what we say is likely to be accepted or not, before selecting the most suitable expression to actually use. This mental procedure is much the same in any language. However, it is often the case that languages and cultures possess unique criteria for choosing appropriate expressions or the most appropriate way to speak in certain situations.

In other words, what might be perfectly acceptable in your language or culture may be viewed as inappropriate in Japanese society. In some cases, people might even think of you as rude or selfish due to these innocent mistakes. And ironically, the risk of making such mistakes is usually higher for learners whose Japanese is rather fluent. To avoid this kind of misfortune, we hope you will utilize this textbook to acquire the ability to use appropriate Japanese at all times.

This textbook was especially designed in a way that will enable you to become proficient in conveying your ideas and feelings in Japanese, but still remain considerate. By following the carefully developed system consisting of eight units, you will be able to learn effectively the means to use Japanese appropriately in various situations. The units cover the following communicative actions:

(1) Asking for permission
(2) Making requests
(3) Making apologies
(4) Extending invitations
(5) Making offers
(6) Giving advice
(7) Making complaints
(8) Offering compliments

Each of the above units is organized into three separate sections. In Section 1, you will learn how to perform the actual acts (e.g., ask for permission). How you should respond to that act (e.g., respond to a request to give permission) is covered in Section 2. Section 3 is dedicated to practices of listening to and speaking in longer conversations based on what you have learned in the previous sections.

Sections 1-3 are further divided into the following subsections:

Section 1	● Let's Listen	● Let's Explore	● Let's Talk	● Conversation Tips
Section 2	● Let's Listen	● Let's Explore	● Let's Talk	● Conversation Tips
Section 3	● Let's Listen	● Let's Talk		

● **Let's Listen**
In Sections 1 and 2, you will listen to relatively short conversations recorded on the attached audio CD. While listening, you should try to pick up information such as the relationship between the two speakers, the situation in which the conversation is taking place and the specific expressions and strategies used by the speakers. You will then compare the conversations and discuss with your classmate what you have noticed (if you are using this textbook as a self-teaching material, you should write down what you have noticed). In Section 3, you will hear longer conversations and try to catch what is being discussed and how it is said.

● **Let's Explore**
In *Let's Explore*, you will first read the typed scripts of the conversations you heard in *Let's Listen*. Here, you can confirm the situation, the relationship between the speakers and the expressions used in the conversations. In Section 1, you will learn about expressions used to perform the act (e.g., expressions used when you ask for permission) and strategies which can be used together with those expressions. Strategies are the phrases and sentences used as tactics either to express your consideration towards your conversational partner's feelings or to persuade him / her in some way. You will also learn about how you can combine these strategies in conversations. In Section 2, you will study strategies and expressions that can be used as a response to the acts that are

made to you. Three typical responses, 1) accept, 2) reject, and 3) avoid clear answers, are introduced for each act.

● **Let's Talk**
You can improve your speaking skills in *Let's Talk*. In Sections 1 and 2, you will practice in pairs the conversations you have studied in *Let's Explore*. Additional practices of short conversations in various settings are also available. Section 3 includes role plays using role cards, which will enable you to practice longer conversations.

● **Conversation Tips**
In *Conversation Tips*, related information is introduced including a detailed explanation of expressions and strategies as well as guidance on unique communication styles in Japanese. You may also enjoy them as reading materials to familiarize yourselves with Japanese culture.

* This textbook includes four different types of practice exercises: 練習, まとめの練習, 話してみよう(*Let's Talk*) and 総合練習. These practice exercises are arranged in order of difficulty, starting from short simple sentences to longer and more complex conversations, and from writing down expressions to oral practices.

* In this textbook, icons are used to visually represent the situational status of the model conversations:

- 👤↗ : Speaking to a superior
- 👤↘ : Speaking to someone with equal or lower status
- 👥 : Speaking to someone close
- 👥 : Speaking to someone you are not so familiar with
- ☹ : High imposition on the other party
- 🙁 : Low imposition on the other party
- 🙂! : Knowing that the other party will be interested in your invitation / is in need of an offer or advice
- 😐? : Uncertain that the other party will be interested in your invitation / is in need of an offer or advice

[🏺] : The cause of complaint can be repaired

[🏺] : The cause of complaint is irreparable

* Hiragana readings are given with the kanji that might be difficult to read on their first mention on each page. A vocabulary list containing English and Chinese translations can be found in the supplementary volume.

致本书学习者

欢迎大家使用《练就沟通技巧 为中高级日语水平学习者提高用日语会话》！

你学习日语的目的是什么？如果是为了"在社会生活的各种场合都能与日本人顺利地进行沟通"的话，那么这本书就一定会给你提供帮助。

具有中高级日语水平的人，已经可以用日语来进行各种会话，或许其熟练的程度已经能够将自己的想法、心情等明确地告诉对方。不过，即使能够明确地把自己想要说的事情告诉对方，但如果措词或对应不妥，也会引起对方的不快，搞坏与对方的关系，这样的话，就很难说是顺利地进行了沟通。

从而可以得知，要顺利地与对方进行沟通，日语的使用不仅要正确，而且还必须用得恰当。"用得恰当"就是"说话时要根据当时的场合、对象来选择适当的说法，以免让对方或周围的人感到不快"。

提出委托，发出邀请，亦或是告知不满，平时我们用语言来进行沟通。这时，在选择最为恰当的说法时，会考虑和对方的关系（是上司、长辈还是部下、晚辈，关系亲密还是一般）、对方会怎样想（是觉得麻烦、为难还是感到高兴）、自己所说的事情对方是否会接受等等。这本身无论是哪一种语言都是一样的。但是"选择恰当的说法的重要标准是什么？""什么样的情况什么样的措词是最为恰当的？"，这因语言和文化的不同而异的情况则很多。

因此，也许你认为"恰当"而选择的用语，在对方的日本人听来是"不恰当的说法"，因而招致误解，认为你是个"失礼的人"或者"自私的人"。而且，不尽人意的是，日语说得越熟练的人招致这种误解的可能性越高。即使为了避免这种情况的发生，也希望大家能使用这本书学习，以掌握在任何时候都能使用恰当的日语与人应对的技巧。

本书编写的目的是为了使大家在与日本人沟通的时候，"能够在考虑到对方的心情的同时，将自己的想法、心情准确地告诉给对方"。通过以下8个单元，可以有效地、系统地来学习与场合、对象相符合的用语措词。

①请求允许 ②委托 ③道歉 ④劝诱、邀请
⑤提出申请、申述 ⑥提建议 ⑦告知不满 ⑧表扬

各个单元均分为3个部分。在第1部分，学习进行这一行为时（例如：请求允许时）的方法。在第2部分，学习在对应这一行为时（例如：在回答要求允许的请求时）的方法。在第3部分，用在第1部分、第2部分学到的东西进行练习，来听来讲较长的对话。

各个部分列表如下：

第1部分 ◉ 听一听　　◉ 仔细学　　◉ 讲讲看　　◉ 会话的提示
第2部分 ◉ 听一听　　◉ 仔细学　　◉ 讲讲看　　◉ 会话的提示
第3部分 ◉ 听一听　　◉ 仔细学

◉ 听一听

在第1部分和第2部分，所进行的练习是听CD的简短对话，先听明白说话人和听话人的关系、对话时的情况以及使用的表现和对应方法。然后，将各个对话加以比较，把自己注意到的说法的不同之处讲给同学听（一个人自学时可以把注意到的地方写出来）。在第3部分，练习听比较长的对话，听明白对话的内容及表现。

◉ 仔细学

先念一下对话的稿子，确认好对话的情况、内容以及表现。然后再来学习表现和对应方法。在第1部分，先来学习进行那一行为的表现（例如 请求允许的表现），再来学习与这一表现一起使用的对应方法（例如：和请求允许的表现一起使用的对应方法）。所谓对应方法，指的就是表现出顾及对方心情，为了说服对方而与行为表现一起使用的用语。对话过程中的对应方法的搭配也是学习的内容之一。在第2部分，学习①答应的场合、②不答应的场合、③不明确（不马上）答复的场合的对应方法和表现。

◉ 讲讲看

在第1部分和第2部分，先两人一组练习〈仔细学〉中看到的对话。然后，再来做新设定的简短会话练习。在第3部分，根据角色卡来进行角色扮演练习（比较长的会话练习）。

◉ 会话的提示

以专栏的形式介绍有有关信息。除了关于表现和对应方法的详细信息以外，还对"日本式交流"的文化背景等进行了解说，因此作为异文化交流的读物也值得一看。

* 本书编有"练习""综合练习""讲讲看""总练习"4种练习题。从"简短的句子"到"既长又复杂的会话"，从"写表现的练习"到"进行会话的练习"，这些习题以从易到难的顺序排列。

* 本书为了使大家能够一目了然，将对话时的状况以下列标记予以显示。

　　　📈 ：对方是上司或长辈

　　　📊 ：对方与自己地位同等或是部下、晚辈

　　　👥 ：对方与自己关系比较亲密

[图标]：对方与自己关系一般

[图标]：给对方带来的麻烦或负担比较大

[图标]：给对方带来的麻烦或负担比较小

[图标]：说话人知道对方抱有兴趣，或对方需要给出主意、提建议

[图标]：说话人不知道对方是否有兴趣，或是否需要给出主意、提建议

[图标]：引发不满的事态能够补救

[图标]：引发不满的事态无法补救

＊读法比较难的汉字，只在每页第1次出现时标有假名注音（读法）。另外，比较难的词汇在附录中列有一览表（英语翻译与中文翻译）。

ユニット1　許可を求める

セクション1　許可を求める

　学校や職場、ホームステイ先など、日本で暮らしている間には様々な場面で許可を求めなければならないことがあるでしょう。時には、許可をもらうことが相手の迷惑になることもあるかもしれません。このセクションでは、相手との関係や相手にかかる迷惑の大きさに注意しながら、許可を求めるときにどのようなストラテジーと表現を使えばよいかを学びましょう。

聞いてみよう　🎧 トラックNo.1〜4

① 短い会話を4つ聞いて、下の表を完成させましょう。まず上下関係を判断し、目上でない場合は親疎関係も選択してください。

	どんな人に許可を求めましたか			どんな許可を求めましたか	迷惑の大きさは？
会話1	↗ or ⇗		👤 or 👥		😣 or ☹
会話2	↗ or ⇗		👤 or 👥		😣 or ☹
会話3	↗ or ⇗		👤 or 👥		😣 or ☹
会話4	↗ or ⇗		👤 or 👥		😣 or ☹

② もう一度4つの会話を聞いて、許可を求める表現を記入しましょう。

	使われている表現
会話1	
会話2	
会話3	
会話4	

③ ①の表と②の表現を見て、会話の相手と迷惑の大きさによって、表現にどのような違いがあるかクラスで話し合いましょう。

くわしく学ぼう

1. 許可を求める表現

(1) 目上の人や親しくない人に許可を求めるとき

会話1 トラックNo.1

状況：ソヨンは会社員です。ソヨンは上司の鈴木課長に話しかけました。

ソヨン………すみません、来週の金曜日お休みさせていただきたいのですが、よろしいでしょうか。

鈴木…………うーん…。いいけど何かあるの？

会話2 トラックNo.2

状況：ヨハンは学生です。授業中、ヨハンは先生に話しかけました。

ヨハン………先生、まぶしいのでカーテンを閉めてもいいですか。

先生…………あっ、いいですよ、どうぞ。

目上の人や親しくない人に許可を求めるときの基本フレーズは、次の3つです。

| 間接的 ↕ 直接的 | 「〜(さ)せてもらえますか」
「〜たいのですが、いいですか」
「〜て(も)いいですか」 |

基本フレーズをより間接的な形にするには、次のような方法があります。
- 謙譲語や丁寧語に変える　　　例）もらう→いただく　いい→よろしい
- 否定的な表現に変える　　　　例）ます→ません
- 断定を避ける表現に変える　　例）です→でしょう
- 使役＋やりもらいに変える　　例）お休みしたい→お休みさせてもらいたい

　これらの方法を多く使ったより複雑な表現ほど、より間接的になります。相手との上下の差が大きかったり、よく知らない相手であるほど、より間接的な表現を使うようにしましょう。また、親しい間柄であっても、許可してもらえる可能性が低いときや相手にかか

る迷惑が大きいときには、より間接的な表現を選びます。
　このようにしてできた表現のうち、よく使われるものは次のとおりです。

間接的　↑
　　　　お休みさせていただきたいのですが、よろしいでしょうか。
　　　　お休みさせていただけますでしょうか。
　　　　お休みしたいのですが、よろしいですか。
　　　　お休みさせていただけますか。
　　　　お休みさせてもらえませんか。
　　　　お休みして（も）いいですか。
直接的　↓

練習

相手との関係や相手にかける迷惑の大きさに注意して、許可を求める表現を考えましょう。
① あなたは、アルバイト中に気分が悪くなったので、上司に早退の許可を求めます。
② あなたは、教授に相談をするため、明日、研究室に行く許可を求めます。
③ あなたは、週末に友達を家に招待したいと思っています。ホームステイ先のお母さんに許可を求めます。

（2）対等・目下で親しい人に許可を求めるとき

会話3　トラックNo.3

状況：ウェイとロティスはクラスメイトです。来週の授業で行うグループ発表の準備をしています。ウェイがロティスに話しかけました。
ウェイ………ねぇ、ちょっと飲み物買いに行ってもいい？
ロティス……うん。あっ、じゃあついでに私の分もお願いしていい？

会話4　トラックNo.4

状況：リーザとえりかは大学生の友達同士です。リーザがえりかに話しかけました。
リーザ………ねぇねぇ、これからえりかのうちに遊びに行っちゃだめかな？
えりか………えーっ、すごく散らかってるから無理！

対等・目下で親しい人に許可を求めるときの基本フレーズは、次の5つです。

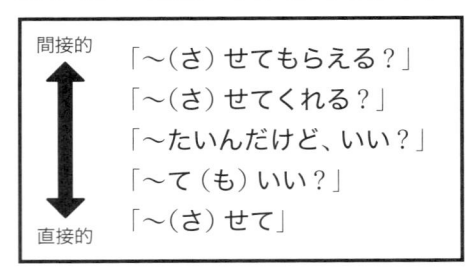

```
間接的
 ↑    「～（さ）せてもらえる？」
 │    「～（さ）せてくれる？」
 │    「～たいんだけど、いい？」
 │    「～て（も）いい？」
 ↓    「～（さ）せて」
直接的
```

基本フレーズをより間接的な形にするには、次のような方法があります。
・否定的な表現に変える　　例）くれる→くれない　いい→だめ

　　　　　　　　　　　　　　　※「～（さ）せて」は、否定の形「～（さ）せない
　　　　　　　　　　　　　　　　で」にしても、間接的な表現にはならない。

　許可してもらえる可能性が低いときや相手にかかる迷惑が大きいときには、より間接的な表現が選ばれます。「～て（も）いいかな？」のように、文の終わりに「かな」をつけると許可してもらいたい気持ちを強く伝えることができます。
　このようにしてできた表現のうち、よく使われるものは次のとおりです。

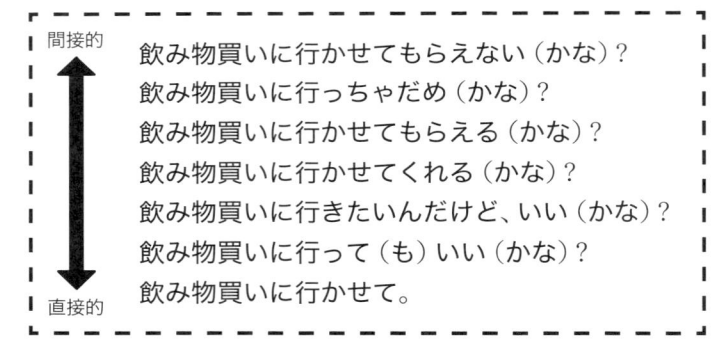

```
間接的
 ↑    飲み物買いに行かせてもらえない（かな）？
 │    飲み物買いに行っちゃだめ（かな）？
 │    飲み物買いに行かせてもらえる（かな）？
 │    飲み物買いに行かせてくれる（かな）？
 │    飲み物買いに行きたいんだけど、いい（かな）？
 │    飲み物買いに行って（も）いい（かな）？
 ↓    飲み物買いに行かせて。
直接的
```

練習

相手との関係や相手にかける迷惑の大きさに注意して、許可を求める表現を考えましょう。
① あなたは学生です。友達に授業のノートをコピーする許可を求めます。
② あなたは会社の後輩の家に来ています。後輩にトイレを借りる許可を求めます。
③ あなたは会社で残業しています。一緒に作業をしている同僚に先に帰る許可を求めます。

2. 許可を求める表現とともに使われるストラテジー

　許可を求めるときには、前置きをしたり、理由を説明したりすることもよくあります。こうしたストラテジーには、相手の気持ちに対する配慮を表したり、許可の必要性を訴えることによって、許可してもらいやすくする働きがあるからです。許可してもらえたときには、「ありがとう（ございます）。」などの感謝のことばを言うことも忘れないでください。

ストラテジー		表現例
前置きする	↑ → ＋ 👤	ちょっとお願いがあるんですが…。 今、お忙しいですか。
	→ ＋ 😊	ちょっとお願いがあるんだけど…。 今、急いでる？
理由を言う	↑ → ＋ 👤	窓を開けてもいいですか。**ちょっと暑いので。** **コピーしたいんですが、**この本をお借りしてよろしいでしょうか。
	→ ＋ 😊	ペン借りてもいい？　**忘れちゃったんだ。** **場所がわからないから、**ついて行ってもいいかな？
押し付けを弱める	↑ → ＋ 👤	**（もし）差しつかえなければ、**連絡先を伺ってよろしいでしょうか。 **（もし）よろしければ、**拝見してもよろしいでしょうか。 **（もし）ご迷惑でなければ、**ここで待たせていただけませんか。
	→ ＋ 😊	**（もし）できたら、**一緒に教科書見てもいいかな？ **（もし）よかったら、**辞書ちょっと借りてもいい？
謝る	↑ → ＋ 👤	**ご迷惑をおかけして申し訳ありません。** **申し訳ありませんが、**確認させていただけませんか。
	→ ＋ 😊	**いつもごめんね。** **ごめんね、**ちょっと待たせてもらってもいい？
念を押す	↑ → ＋ 👤	（どうぞ）よろしくお願いします。
	→ ＋ 😊	よろしくー。

　一般的には、許可してもらえる可能性が低いときや相手にかかる迷惑が大きいときほど、多くのストラテジーを組み合わせて使います。次のページの例を見てみましょう。

例:
さくら： 店長、ちょっとよろしいですか。　　　　　　　　　　　前置きする
店長： うん、何？
さくら： 実は来月から就職活動をしようと思ってまし　　　　　　理由を言う
て…。午前も午後も会社説明会やセミナーに出
ようと思っているんです。ほとんど来られなく
なってしまうので、できたら　　　　　　　　　　　　　　押し付けを弱める
今月末でやめさせていただいてもよろしいで　　　　　　許可を求める
しょうか。
店長： えー。それはちょっと困るなぁ。
さくら： ご迷惑をおかけして、本当に申し訳ありません。　　　　謝る
店長： 仕方がないな…。

まとめの練習

相手との関係や相手にかける迷惑の大きさに注意し、許可を求める表現と必要なストラテジーを組み合わせて、許可を求めましょう。

① あなたは、住んでいるアパートの壁紙を張り替えたいと思っています。不動産屋にその許可を求めます。

あなた：

② あなたは、就職活動中で、あさって面接があります。その日の授業を欠席する許可を先生に求めます。

あなた：

③ あなたはホームステイをしています。明日、友達に家に泊まりに来ないかと誘われました。ホームステイ先のお母さんに外泊の許可を求めます。

あなた：

■ 話してみよう

1. 「くわしく学ぼう」の会話1～4をペアになって練習しましょう。
2. ① 次の役割や迷惑の大きさに合った許可を求める内容を考えて、書きましょう。

	役割 許可を求める人　許可を求められる人	迷惑の大きさ	許可を求める内容
例	学生　　　　　先生	☹	教室のカーテンを閉める
1	学生　　　　　先生	☹	
2	部下　　　　　上司	😣	
3	学生と学生（親しい）	😣	
4	同僚と同僚（あまり親しくない）	☹	

② 上の内容で、許可を求める表現とほかに必要なストラテジーを考えて、下の欄に書きましょう。

例	先生、まぶしいので、カーテンを閉めてもいいですか。
1	
2	
3	
4	

③ ペアになって、①の各場面で②で書いた表現を使って許可を求めてください。相手の人はそれに対して答えてください。その後、役割を交代して、同様に練習しましょう。

会話のヒント	どんなときに許可を求めるの？

　どんなときに許可を求めたほうがよいかは、文化によって違うことがあります。例えば、日本では、ホームステイをしている学生は、週末に自分の個人的な予定を入れてもよいかホームステイ先の両親に許可を求めたほうがよいこともあるでしょう。このようなことは、個人の自由やプライバシーが尊重される傾向の強い文化に慣れた人には面倒くさいと感じられるかもしれませんね。

　また、ほかの人の持ち物を使いたいときや、ほかの人が食べている物を分けてもらいたいときにも、許可を求めなければいけません。日本では、その持ち物や食べ物がその人だけのものであると考えるからです。何も言わずに使ったり食べたりすると、親しい友達やホストファミリーであっても嫌がられることが多いので、注意しましょう。

セクション2　許可の求めに答える

相手からの求めに応じて許可するときよりも、許可しないときのほうが返事の仕方は難しいものです。なぜなら、許可しないときには相手の気持ちにより配慮した言い方をする必要があるからです。このセクションでは、許可を求められたときの答え方として、どのようなストラテジーや表現が使えるのかを学びましょう。

■ 聞いてみよう　🄲 トラックNo.5～7

① 短い会話を3つ聞いて、下の表を完成させましょう。まず上下関係を判断し、目上でない場合は親疎関係も選択してください。返事については、下のa～cの選択肢から選びましょう。

　　　　　　　　　　　a……許可した　b……許可しなかった　c……どちらでもない

	どんな人に許可を求められましたか	どんな許可を求められましたか	許可しましたか
会話1	🚶↗ or 🚶→　　👤 or 👥		a　b　c
会話2	🚶↗ or 🚶→　　👤 or 👥		a　b　c
会話3	🚶↗ or 🚶→　　👤 or 👥		a　b　c

② もう一度3つの会話を聞いて、許可の求めに答える表現を記入しましょう。

	使われている表現
会話1	
会話2	
会話3	

③ ①の表と②の表現を見て、会話の相手や許可をするかどうかによって、答え方にどのような違いがあるかクラスで話し合いましょう。

くわしく学ぼう

1. 許可するとき

会話1 　トラックNo.5

状況：サラは会社の先輩の小林とお昼を食べています。
　　　　小林がサラに話しかけました。
小林……サラちゃん、よかったら、そのティッシュ
　　　　1枚もらっていい？
サラ……あっ、どうぞ。使ってください。

　許可する場合には、次のようなストラテジーがよく使われます。【積極的に許可する】を使うと、あなたも許可したいと思っていることを伝えることができます。反対に、【消極的に許可する】を使うと、許可はするけれども本当は気が進まないということを伝えることができます。ただし、【消極的に許可する】は目上の人には失礼になるので使いません。

ストラテジー		表現例
積極的に許可する	↗ ↘ + 👥	どうぞどうぞ。 もちろんです。 どうぞ。 どうぞお使いください。
	↘ + 👀	どうぞどうぞ。 もちろん。 どうぞ。
承知する	↗ ↘ + 👥	はい。 わかりました。 承知いたしました。
	↘ + 👀	いいよ。 はい。 うん。 わかった。
消極的に許可する	↘ + 👥	そこまでおっしゃるのでしたら（、どうぞ）。 今回だけにしてください。
	↘ + 👀	しょうがないなぁ。 もう、今回だけだよ。

練習

相手との関係に注意して、許可する表現を考えましょう。
① あなたは、家に遊びに来ている先輩に、お茶をおかわりしてもいいかと聞かれました。
② ホームステイ先のお母さんが、あなたの部屋のドアをノックして、入ってもいいかと聞きました。
③ あなたは学生寮に住んでいます。隣の部屋の学生に自転車を借りてもいいかと聞かれました。

2. 許可しないとき

会話2 トラックNo.6

状況：ホセは明日、先生と面談の約束があります。先生がホセに話しかけました。
先生……あしたの面談の約束だけど、4時に変更してもいいかな？
ホセ……あ、あの、すみません。あしたはその時間しか空いていないんです。

許可しないときには、次のようなストラテジーがよく使われます。

ストラテジー		表現例
理由を言う	↗ ↗ + 👥	その時間は授業がありますので。 ランチタイムは禁煙となっております。
	↗ + 👀	これから使うんだ。 夜はほかの約束があるんだよね。
謝る	↗ ↗ + 👥	申し訳ございません。 すみません。
	↗ + 👀	悪いんだけど。 ごめん。
許可しないとほのめかす	↗ ↗ + 👥	それはちょっと…。 うーん、ちょっと難しいかもしれませんね…。
	↗ + 👀	それはちょっと…。 ちょっと厳しいかもなぁ…。

はっきり断る		それはいたしかねます。 ご遠慮ください。
		（ちょっと）だめなんだよね。 （ちょっと）無理だなぁ。

【はっきり断る】は失礼なので、目上の人に対しては基本的に使いません。ただし、規則などで決まっていてどうしてもはっきり断らなければならない場合には、例外的に使うことができます。その場合にも、以下の例のように、なるべく失礼にならないようにほかのストラテジーと組み合わせて使うほうがよいでしょう。

例:
客……………すみません、タバコ吸ってもいいですか。
店員…………申し訳ございませんが　　　　　　　　　　　謝る
　　　　　　こちら禁煙席になっておりますので　　　　　理由を言う
　　　　　　ご遠慮ください。　　　　　　　　　　　　　はっきり断る

練習

相手との関係に注意して、許可しない表現を考えましょう。
① あなたが街を歩いていると、知らない人からあなたの写真を撮ってもいいかと聞かれました。
② あなたは、カラオケ店でアルバイトをしています。利用客から時間を30分延長してもいいかと聞かれましたが、混んでいて延長はできません。
③ あなたは、全館禁煙の寮に住んでいます。部屋に遊びに来た友達に、タバコを吸ってもいいかと聞かれました。

3. すぐには答えられないとき

会話3　トラックNo.7

状況：さやかとスヤディは友達同士です。明日は休日で、2人で食事に行く約束をしています。さやかがスヤディに話しかけました。
さやか………ねぇ、あしたのランチの約束なんだけど、夜に変更してもいい？
スヤディ……えっ、どうしたの？

すぐには答えられないときやはっきり答えられないときは、【保留する】がよく使われます。相手が許可を求める理由を言わなかったときには、理由を確認してから許可するかどうか決めるために【理由を聞く】を使うこともあります。相手が求めた内容をそのまま許可することはできないけれども、条件付きでなら許可できることもあります。その場合は【条件を提示する】を使って相手の意向を確認します。

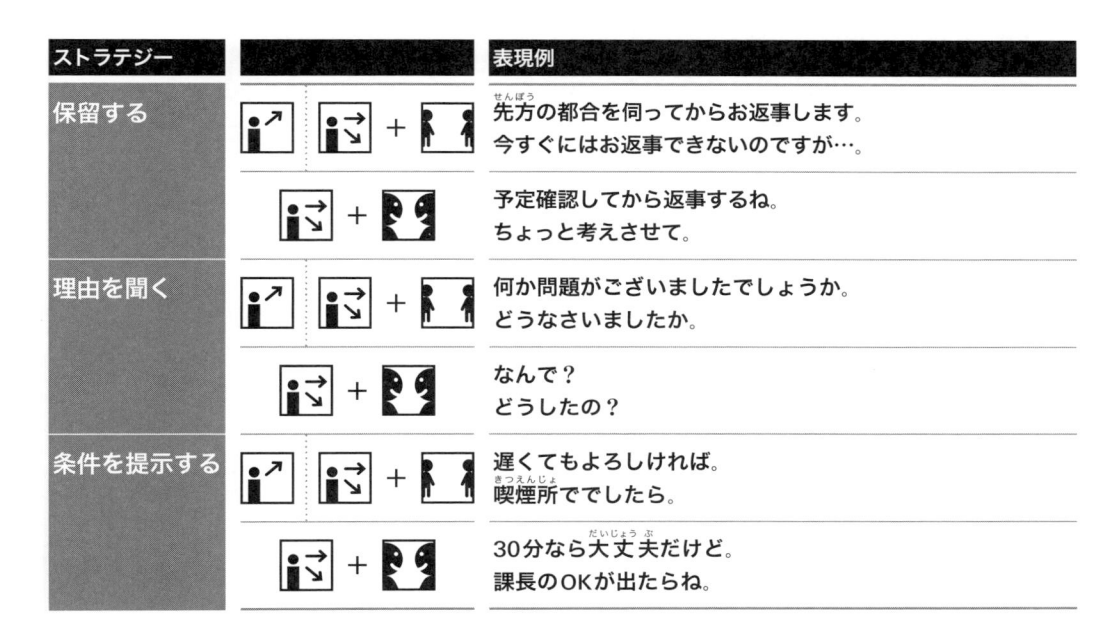

ストラテジー		表現例
保留する	↗ ↘ + 👥	先方の都合を伺ってからお返事します。 今すぐにはお返事できないのですが…。
	↘ + 👥	予定確認してから返事するね。 ちょっと考えさせて。
理由を聞く	↗ ↘ + 👥	何か問題がございましたでしょうか。 どうなさいましたか。
	↘ + 👥	なんで？ どうしたの？
条件を提示する	↗ ↘ + 👥	遅くてもよろしければ。 喫煙所でてしたら。
	↘ + 👥	30分なら大丈夫だけど。 課長のOKが出たらね。

以下の例を見てみましょう。

例：
おさむ…………この間借りたDVD、来週まで借りててもいい？
ショーン…………え、<u>どうしたの？</u>　　　　　　　　　　理由を聞く
おさむ…………まだ見終わってないんだ。
ショーン…………そっかぁ。<u>まあ水曜までならいいけど。</u>　　条件を提示する

練習
相手との関係に注意して、すぐには答えない表現を考えましょう。
① あなたは、クラスメイトから、あなたの住所を聞いてもいいか聞かれました。
② あなたはルームシェアをしています。友達に、家に遊びに行ってもいいか聞かれました。
③ あなたはアルバイト先の店長から、あなたの来週の出勤日を変えてもいいか聞かれました。

まとめの練習

相手との関係や自分が受ける迷惑(めいわく)の大きさを考えて、どのような返事をするか決め、必要なストラテジーを組み合わせて答えましょう。

① あなたは来週末に鎌倉(かまくら)に遊びに行く計画を立てています。会社の後輩(こうはい)が話しかけてきました。

　後輩: みなさんで鎌倉へ行くって聞いたんですけど、私も参加していいですか。

　あなた:

② あなたはゼミの飲み会に向かっています。先に着いた友達から電話がかかってきました。

　友達: 先生がもういらしてるから、先に始めててもいい？

　あなた:

③ あなたは日本語の授業(じゅぎょう)が終わった後、先生に呼び止められました。

　先生: この間の宿題の作文、よく書けていたから、ほかのクラスで紹介してもいいかな？

　あなた:

話してみよう

1. 「くわしく学ぼう」の会話1〜3をペアになって練習しましょう。
2. 次の1〜4の場面にもとづいて、短い会話をしましょう。

	役割		許可を求める内容
	許可を求める人	許可を求められる人	
1	学生	先生	授業を聴講する
2	部下	上司	早退する
3	学生と学生（親しい）		電子辞書を使う
4	同僚と同僚（あまり親しくない）		ブログに写真を載せる

会話のヒント	「どうぞ」と「どうぞどうぞ」はどう違う？

　日本語の会話では、同じことばを繰り返す表現がよく使われます。例えば、「ごめんごめん」「ほんとほんと」などがありますが、こうした繰り返しにはそのことばの意味を強調する働きがあります。許可するときに使われる「どうぞどうぞ」も、そうした表現の一つです。下の2つの会話を比べてみてください。

例1:

リサ…………ごめん、消しゴム借りてもいい？
まり…………どうぞ。

例2:

リサ…………ごめん、消しゴム借りてもいい？
まり…………どうぞどうぞ。

　どちらも許可していることに変わりはありませんが、「どうぞ。」と1回しか言っていない例1よりも「どうぞどうぞ。」と2回繰り返す例2のほうが、積極的な気持ちが伝わります。そうすることで、許可を求めた人が「迷惑をかけて申し訳ない」と思う気持ちを和らげることができるのです。

会話のヒント	「私は構わないけど」は許可しているの？

　許可を求めたとき、「私は構わないけど。」と言われたことはありませんか。「私は構わないけど。」と言った人は、許可してくれたのでしょうか。以下の例を見てください。

例：休み時間の教室で
のぶゆき…………暑いから暖房を消してもいいかな？
ひろみ……………私は構わないけど。

　実は、ひろみが許可しているかどうかは、その場にほかに人がいるかどうかによって変わるのです。のぶゆきとひろみだけしか教室にいないのであれば、「私は構わないけど」は、「あなたがそうしたいならしてもよい」という意味、つまり許可を表します。反対に、ほかにも人がいるのであれば、「私は構わないけど」の後に、「ほかの人はどう思っているのかわからない」という部分が抜けていると思ったほうがよいでしょう。つまり、ひろみはほかの人の意見がわからないので、自分ひとりの判断では勝手に許可できないということを伝えているのです。

セクション3　　総合練習

　最後に、「許可を求める－許可の求めに答える」やり取りを含んだ長い会話を聞いたり、話したりする練習をしましょう。

■ 聞いてみよう

1. 会話を聞いて、次の問題に答えましょう。　🖸 トラックNo.8
① どのような許可を求めましたか。

［1］

［2］

［3］

② 許可を求められた人は、どうしましたか。

③ 会話のスクリプト（153ページ）を見て、二人の関係や迷惑（めいわく）の大きさに注意しながら、「許可を求める－許可の求めに答える」で使われた表現を確認しましょう。

2. 会話を聞いて、次の問題に答えましょう。　🖸 トラックNo.9
① どのような許可を求めましたか。

［1］

［2］

② 許可を求められた人は、どうしましたか。

③ 会話のスクリプト（153ページ）を見て、二人の関係や迷惑の大きさに注意しながら、「許可を求める－許可の求めに答える」で使われた表現を確認しましょう。

話してみよう

このユニットで学んだことを活用して、ロールプレイをしましょう。

1.
① ペアを組んで、一人はAの役、もう一人はBの役をしてください。Aの役の人は165ページのロールカード1Aを、Bの役の人は166ページのロールカード1Bを見てください。（相手のカードは見ないでください。）

② Aの役の人はBの役の人に許可を求めます。Aの役の人から話し始め、ロールカードに書かれた情報をできるだけ多く取り入れて、やり取りを続けてください。

2.
① ペアを組んで、一人はAの役、もう一人はBの役をしてください。Aの役の人は165ページのロールカード2Aを、Bの役の人は166ページのロールカード2Bを見てください。（相手のカードは見ないでください。）

② Aの役の人はBの役の人に許可を求めます。Aの役の人から話し始め、ロールカードに書かれた情報をできるだけ多く取り入れて、やり取りを続けてください。

ユニット2　依頼する

セクション1　依頼する

　誰かに何かをやってもらうことは、その人に時間や労力、お金などの負担をかけることです。そのため、依頼をするときには相手の気持ちに配慮した言い方が必要になります。このセクションでは、相手との関係や相手にかかる負担の大きさに注意しながら、依頼するときにどのようなストラテジーや表現を使えばよいかを学びましょう。

■ 聞いてみよう　トラックNo.10～13

① 短い会話を4つ聞いて、下の表を完成させましょう。まず上下関係を判断し、目上でない場合は親疎関係も選択してください。

	どんな人に依頼をしましたか	どんな依頼をしましたか	負担の大きさは？
会話1	↗ or ↗ ／ 👥 or 👥		😥 or 😟
会話2	↗ or ↗ ／ 👥 or 👥		😥 or 😟
会話3	↗ or ↗ ／ 👥 or 👥		😥 or 😟
会話4	↗ or ↗ ／ 👥 or 👥		😥 or 😟

② もう一度4つの会話を聞いて、依頼する表現を記入しましょう。

	使われている表現
会話1	
会話2	
会話3	
会話4	

③ ①の表と②の表現を見て、会話の相手と負担の大きさによって、表現にどのような違いがあるかクラスで話し合いましょう。

くわしく学ぼう

1. 依頼する表現
（1）目上の人や親しくない人に依頼するとき

会話1 　トラックNo.10

状況：経理部のハキムは、営業部の佐藤（さとう）に内線電話をかけました。

ハキム……すみません、あしたいただくことになっていた書類なんですけど、今日の午後提出（ていしゅつ）していただくことはできないでしょうか。

佐藤……えっ、今日の午後ですか。これから取引先でミーティングなんですけど。

会話2 　トラックNo.11

状況：ナタリーはマンションの管理組合の役員をしています。年配の住人、和田のうちを訪ねました。

ナタリー……すみません、17日に消防の点検が入るので、それまでにベランダの荷物を片付けておいてもらってもいいですか。

和田……あぁ、わかりました。連絡ご苦労さまですねぇ。

目上の人や親しくない人に依頼するときの基本フレーズは、次の4つです。

```
間接的  「～てもらうことはできますか」
 ↑     「～てもらってもいいですか」
 ↓     「～てもらえますか」
直接的  「～てもらいたいんですが」
```

基本フレーズをより間接的な形にするには、次のような方法があります。
・謙譲語や丁寧語に変える　　　例）もらう→いただく　いい→よろしい
・否定的な表現に変える　　　　例）ます→ません
・断定を避ける表現に変える　　例）です→でしょう

　これらの方法を多く使ったより複雑な表現ほど、より間接的になります。相手との上下の差が大きかったり、よく知らない相手であるほど、より間接的な表現を使うようにしましょう。同様に、引き受けてもらえる可能性が低いときや相手にかかる負担が大きいときにも、より間接的な表現を選びます。目上の人には、「～てください」は失礼に聞こえるため使いません。
　このようにしてできた表現のうち、よく使われるものは次のとおりです。

```
間接的  今日の午後提出していただくことはできないでしょうか。
 ↑     今日の午後提出していただいてもよろしいでしょうか。
       今日の午後提出していただいてもいいですか。
       今日の午後提出していただけないでしょうか。
 ↓     今日の午後提出していただけませんか。
直接的  今日の午後提出していただきたいんですが。
```

練習

相手との関係や相手にかける負担の大きさに注意して、依頼する表現を考えましょう。
① あなたは旅行中です。ほかの観光客に写真を撮ってくれるように頼みます。
② あなたはアルバイト中です。上司のことばが聞き取れなかったので、もう一度言ってくれるように頼みます。
③ あなたは日本語の授業についていけません。先生に補習をお願いします。

（2）対等・目下で親しい人に依頼するとき

会話3 　トラックNo.12

状況：ハネスは大学へ向かっている途中で、同じ授業を取っている友達さとしに電話をかけました。

ハネス………もしもし、さとし？
さとし………あ、ハネス？　どうしたの？
ハネス………次の授業、席取っといてくれない？
さとし………あっ、いいよー。

会話4 　トラックNo.13

状況：オワナはアルバイト先の後輩のみきに話しかけました。

オワナ………みきちゃん、ちょっとお願いがあるんだけど…。
みき…………なんですか。
オワナ………あした、急に就活で面接が入っちゃったから、シフトかわってもらってもいい？
みき…………えっ、あしたはちょっと…。

対等・目下で親しい人に依頼するときの基本フレーズは、次の6つです。

```
間接的
 ↑    「～（ら）れる？」
 │    「～てもらって（も）いい？」
 │    「～てもらえる？」
 │    「～てくれる？」
 │    「～てほしいんだけど」
 ↓    「～て（ちょうだい）」
直接的
```

基本フレーズをより間接的な形にするには、次のような方法があります。
・否定的な表現に変える　　例）～（ら）れる→～（ら）れない　いい→だめ
　　　　　　　　　　　　※「～て」「～てほしいんだけど」は、否定の形「～ないで」「～てほしくないんだけど」にしても、間接的な表現にはならない。

女性は「〜て」のかわりに「〜てちょうだい」を使うこともあります。引き受けてくれる可能性が低いときや相手にかかる負担が大きいときには、より間接的な表現が選ばれます。「〜（ら）れるかな？」のように、文の終わりに「かな」をつけると引き受けてもらいたい気持ちを強く伝えることができます。
　このようにしてできた表現のうち、よく使われるものは次のとおりです。

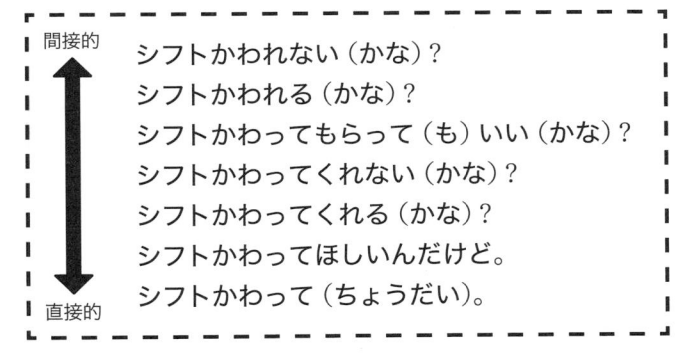

```
間接的  シフトかわれない（かな）？
  ↑    シフトかわれる（かな）？
  │    シフトかわってもらって（も）いい（かな）？
  │    シフトかわってくれない（かな）？
  │    シフトかわってくれる（かな）？
  ↓    シフトかわってほしいんだけど。
直接的  シフトかわって（ちょうだい）。
```

練習

相手との関係や相手にかける負担の大きさに注意して、依頼する表現を考えましょう。
① あなたは友達の部屋に遊びに来ています。喉が渇いたので水をくれるように頼みます。
② あなたは料理中です。玄関のベルが鳴りましたが、あなたは手が離せないので、ルームメイトに応対に出るように頼みます。
③ あなたは飲み会に参加しました。会計のときお金が足りなかったので、友達に3,000円貸してくれるように頼みます。

2. 依頼する表現とともに使われるストラテジー

依頼をするときには、以下のように前置きをしたり、理由を説明したりすることも多いです。こうしたストラテジーは、相手の気持ちに対する配慮(はいりょ)を表したり、依頼の必要性を伝えることによって、引き受けてもらいやすくする働きがあります。引き受けてもらえたときには、「ありがとう（ございます）。」と感謝(かんしゃ)のことばを言うことを忘れないでください。

ストラテジー		表現例
前置きする	［上司］＋［同僚］	ちょっとお願いがあるんですが…。 今お時間ありますか。
	［同僚］＋［友人］	頼み（たいこと）があるんだけど…。 今ちょっといい？
理由を言う	［上司］＋［同僚］	明日から出張なので、今日中にご返信いただけませんか。 プリントをくださいませんか。**先週休んでしまったので。**
	［同僚］＋［友人］	**先週休んじゃったから、**ノートを見せてくれないかな？ ペン貸してくれない？　**忘れちゃったんだ。**
押し付けを弱める	［上司］＋［同僚］	（もし）可能でしたら、この本をお貸しいただけないでしょうか。 （もし）よろしければ、ご確認いただけますでしょうか。 折り返しお電話いただけますか。**お時間のある時で結構ですので。**
	［同僚］＋［友人］	（もし）できたら、代わりに行ってくれないかな？ （もし）よかったら、使い方教えてくれない？ 話聞いてくれる？　ちょっとでいいから。
謝る	［上司］＋［同僚］	お忙しいところお手数をおかけして申(もう)し訳(わけ)ございません。 申し訳ありませんが、こちらにサインをいただけますでしょうか。
	［同僚］＋［友人］	忙しいのにごめんね。 ごめんね、辞書貸してくれないかな？
念を押す	［上司］＋［同僚］	それではよろしくお願いいたします。 （どうぞ）よろしくお願いします。
	［同僚］＋［友人］	じゃあお願いね。 よろしくー。

一般的には、引き受けてもらえる可能性が低いときや相手にかかる負担が大きいときほど、多くのストラテジーを組み合わせて使います。以下の例を見てみましょう。

例：

ひとみ	みのるくん、<u>電子辞書持ってる？</u>	前置きする
みのる	うん、持ってるけど。	
ひとみ	次の授業、英文学なんだけど忘れちゃったんだ。	理由を言う
	もし次の時間使わなかったら、	押し付けを弱める
	貸してくれない？	依頼する
みのる	うん、いいよ。はい、どうぞ。	
ひとみ	ありがとう。	

まとめの練習

相手との関係や相手にかける負担の大きさに注意し、依頼する表現と必要なストラテジーを組み合わせて、依頼をしましょう。

① あなたは風邪を引いて会社を休んでしまいました。同僚に電話をして、あなたに今日会いに来る予定のお客さんに代わりに会ってくれるように頼みます。

あなた：

② あなたは日本語で書いた履歴書を日本人の先輩にチェックしてくれるように頼みます。

あなた：

③ あなたは来週の日曜日の朝7時発の飛行機に乗る予定です。ホームステイ先のお父さんに空港まで車で送ってくれるように頼みます。

あなた：

■話してみよう

1. 「くわしく学ぼう」の会話1～4をペアになって練習しましょう。
2. ① 次の役割や負担の大きさに合った依頼の内容を考えて、書きましょう。

	役割 依頼をする人　依頼をされる人		負担の大きさ	依頼の内容
例	学生	学生	☹	次の授業の席を取ってもらう
1	部下	上司	☹💧	
2	学生	先生	☹	
3	同僚と同僚（親しい）		☹💧	
4	学生と学生（あまり親しくない）		☹	

② 上の内容で、依頼する表現とほかに必要なストラテジーを考えて、下の欄に書きましょう。

例	ちょっと遅れそうなんだ。悪いんだけど、次の授業の席取っといてくれない？
1	
2	
3	
4	

③ ペアになって、①の各場面で②で書いた表現を使って依頼をしてください。相手の人はそれに対して答えてください。その後、役割を交代して、同様に練習しましょう。

会話のヒント	依頼する表現を使わずに依頼する

　このセクションで学んだ表現は、直接的なもの、間接的なものという違いはありましたが、すべて依頼をしていることが相手にはっきりとわかるものでした。しかし、依頼したいけれど頼みにくい場合には、こうしたストラテジーを使わずに相手に気づいてもらう方法もあります。次の例を見てください。

例1（a）:
まりこ………………今日は暑いですね。
先生…………………じゃ、エアコンをつけましょう。

例2（a）:
あやか………………レポートを英訳してくれる人を探してるんだよね。
ジョー………………僕がやってあげようか。

　上の例ではどちらも、話し手が置かれている状況を述べただけですが、相手は依頼されていることに気づいて返事をしています。このように、はっきりとことばで頼まないで相手に気づいてもらう方法を「ほのめかし」といいます。依頼と判断するかどうかを相手に任せているので押し付けが弱くとても丁寧です。しかし、次の例のようにいつも気がついてもらえるとは限らないという欠点もあります。

例1（b）:
まりこ………………今日は暑いですね。
先生…………………そうですね。

例2（b）:
あやか………………レポートを英訳してくれる人を探してるんだよね。
ジョー………………早く見つかるといいね。

会話のヒント	「～てください」はどうして使えないの？

　依頼の表現として、「～てください」を最初に学んだ人は多いのではないでしょうか。しかし、**くわしく学ぼう**で見たように、「～てください」は依頼というよりも指示のニュアンスのほうが強いので、例1のように目上の人に依頼するときに使うと失礼になってしまいます。

例1:

学生……………先生、推薦状を書いてください。

　では、「どうぞ」を入れたり、尊敬表現（お〜ください）に変えたりして、より丁寧な形にしたら目上の人に対しても使えるのかというと、そうではありません。それは「どうぞ〜てください」や「お〜ください」にすると、依頼の表現ではなく、先生に推薦状を書くことを勧める表現になってしまうからです。推薦状を書いてほしいのは学生のほうなのに、先生に書かせてあげていることになり、かえって失礼な言い方になってしまうのです。
例2、例3を見て確認してみましょう。

例2:

学生……………先生、どうぞ推薦状を書いてください。

例3:

学生……………先生、推薦状をお書きください※。

　　　　　　　　　　　　※「お〜ください」は、指示の表現にもなりますが、
　　　　　　　　　　　　　先生に指示するのもやはり失礼です。

　それでは、「〜てください」は、目上の人に依頼するときにはまったく使えないのでしょうか。実はそんなことはありません。例4のように「ませんか」をつけて「〜てくださいませんか」の形にすれば、目上の人に対する依頼の表現として使うことができます。

例4:

学生……………先生、推薦状を書いてくださいませんか。

　それでも、例5の「〜ていただけませんか」と比べると、より直接的な表現であることに変わりはありません。

例5:

学生……………先生、推薦状を書いていただけませんか。

　目上の人に負担の大きい依頼をするときには、より間接的な「〜ていただく」を使った表現でお願いするのが基本だと思ってください。

セクション2　依頼に答える

　依頼を引き受けるときよりも、断るときのほうが返事の仕方は難しいものです。なぜなら、断るときには相手の気持ちにより配慮(はいりょ)した言い方をする必要があるからです。このセクションでは、依頼されたときの答え方として、どのようなストラテジーや表現が使えるのかを学びましょう。

■ 聞いてみよう　トラックNo.14～16

① 短い会話を3つ聞いて、下の表を完成させましょう。まず上下関係を判断し、目上でない場合は親疎(しんそ)関係も選択してください。返事については、下のa～cの選択肢(せんたくし)から選びましょう。

　　　　　　　　　　　a……引き受けた　b……断った　c……どちらでもない

	どんな人に依頼をされましたか？		どんな依頼をされましたか	依頼を引き受けましたか
会話1	↗ or ↘	👧 or 👥		a　b　c
会話2	↗ or ↘	👧 or 👥		a　b　c
会話3	↗ or ↘	👧 or 👥		a　b　c

② もう一度3つの会話を聞いて、依頼に答える表現を記入しましょう。

	使われている表現
会話1	
会話2	
会話3	

③ ①の表と②の表現を見て、会話の相手や依頼を引き受けるかどうかによって、答え方にどのような違いがあるかクラスで話し合いましょう。

くわしく学ぼう

1. 依頼を引き受けるとき

会話1 トラックNo.14

状況:アンナはリビングルームでホームステイ先のお母さんに折り紙を教わっています。お母さんは買い物に行くと言って、席を立ちました。アンナは残ってもう少し折り紙の練習をすることにしました。

お母さん……終わったら片付けといてね。
アンナ………はーい。

　依頼を引き受けるときには、次のような簡単な返事をすれば済みます。【積極的に引き受ける】を使うと、あなたも引き受けたいと思っていることを伝えることができます。反対に、【消極的に引き受ける】を使うと、引き受けるけれども本当は気が進まないということを伝えることができます。ただし、【消極的に引き受ける】は目上の人には失礼になるので使いません。

ストラテジー		表現例
積極的に引き受ける	↗ + 👤	喜んで、お手伝いさせていただきます。 もちろんです。
	→ + 😀	もちろん。 オッケー。
承知する	↗ + 👤	承知いたしました。／かしこまりました。 わかりました。
	→ + 😀	いいよ。 わかった。
消極的に引き受ける	→ + 👤	しかたないですね。 今回だけですよ。
	→ + 😀	しょうがないなぁ。 今回だけだよ。

練習

相手との関係に注意して、依頼を引き受ける表現を考えましょう。
① あなたの家に友達が遊びに来ました。トイレを貸してほしいと頼まれました。
② あなたはアルバイト先の会社で、書類をコピーするように上司に頼まれました。
③ あなたは先生にメールの翻訳を頼まれました。

2. 依頼を断るとき

会話2　トラックNo.15

状況：クゥアンが教室で座っていると、隣の知らない学生から話しかけられました。

見知らぬ学生……あのー、この授業何回か欠席してしまったんですけど、ノート貸していただけませんか。来週返しますから。

クゥアン……………あー、でも僕も結構休んじゃってるので…。

　依頼を断られた相手は困ったり、気分を悪くするかもしれませんし、場合によっては、その後の関係に影響することもあるかもしれません。そのため、断るときは次のようなストラテジーを組み合わせて、相手の気持ちに配慮した返事をする必要があります。

ストラテジー		表現例
理由を言う	↗ ↘ + 👤	明日は用事があるんです。 その時期はちょうど国に帰っているので。
	↘ + 👀	あしたはバイトなんだ。 今ちょっと手が離せないんだ。
謝る	↗ ↘ + 👤	申し訳ございません。 すみません。
	↘ + 👀	悪いんだけど。 ごめん。
断りをほのめかす	↗ ↘ + 👤	それはちょっと…。 できればそうさせていただきたいんですが…。
	↘ + 👀	それはちょっと…。 そうしてあげたいのはやまやまなんだけどね。
はっきり断る	↗ + 👤	今は無理なんです。 困ります。＜セールスなどに対して＞
	↘ + 👀	あしたはだめなんだよね。 それはちょっと無理だなあ。

　【はっきり断る】は失礼なので、目上の人に対しては基本的に使いません。ただし、どうしてもはっきり断らなければならない場合には、以下の例のように、なるべく失礼にならないようにほかのストラテジーと組み合わせて使うこともあります。

例：
先輩　　　　　　急なんだけど、あした引っ越し手伝ってくれない？
後輩　　　　　　すみません、　　　　　　　　　　　　　　謝る
　　　　　　　　あしたは午後から試験があって　　　　　　理由を言う
　　　　　　　　無理なんです。　　　　　　　　　　　　　はっきり断る

練習
相手との関係に注意して、依頼を断る表現を考えましょう。
① あなたは友達から結婚式の二次会の幹事を頼まれました。
② あなたはアパートの隣に住んでいる人から、出かけるので、夜まで子どもの面倒をみてほしいと頼まれました。
③ あなたは近所の人から明日の朝、町内のゴミ拾い活動に参加してほしいと頼まれました。

3. すぐには答えられないとき

会話3 トラックNo.16

状況：デウィはコンビニでアルバイトをしているときに店長から話しかけられました。
店長……デウィさん、悪いんだけど次の連休、シフト入れる？
デウィ……あー、ちょっと予定を確認させてもらってからでもいいですか。

　すぐには答えられないときやはっきり答えられないときは、【保留する】がよく使われます。相手が依頼する理由を言わなかったときには、引き受けるかどうか決めるために【理由を聞く】を使うこともあります。相手が依頼した内容をそのまま引き受けることはできないけれども、条件付きでなら引き受けられることもあります。その場合は【条件を提示する】を使って相手の意向を確認します。

ストラテジー		表現例
保留する	↗ ↗ + 👥	少しお時間をください。 検討してご連絡いたします。
	↗ + 👥	予定を確認してみるね。 ちょっと考えさせて。
理由を聞く	↗ ↗ + 👥	どうなさったんですか。
	↗ + 👥	なんで？ どうして？
条件を提示する	↗ ↗ + 👥	3時までならお手伝いできますが。 来月でもよろしければ。
	↗ + 👥	来週末なら大丈夫だけど。 ちょっとだったらいいよ。

練習

相手との関係に注意して、すぐには答えない表現を考えましょう。
① あなたは先輩に、来週末に引っ越しの手伝いをするように頼まれました。
② あなたは友達から、飼えなくなったペットを代わりに飼ってほしいと頼まれました。
③ あなたは近所の人から、防犯パトロールの手伝いを頼まれました。

まとめの練習

相手との関係や自分にかかる負担の大きさを考えて、どのような返事をするか決め、必要なストラテジーを組み合わせて答えましょう。

① あなたはホームステイをしています。ホームステイ先のお母さんに話しかけられました。
お母さん：明日新しいパソコンが届くんだけど、セットアップお願いできるかしら？
あなた：

② あなたは以前、友達にお金を貸しましたが、まだ返してもらっていません。あなたは、その友達に話しかけられました。
友達：ちょっとお金足りないんだけど、500円貸してくれない？
あなた：

③ あなたはアパートに住んでいます。隣に住んでいる人があなたを訪ねてきました。
隣の人：明日から旅行で1週間留守にするんですが、その間うちの犬を預かってもらうことはできませんか。
あなた：

■ 話してみよう

1. 「くわしく学ぼう」の会話1～3をペアになって、練習しましょう。
2. 次の1～4の場面にもとづいて、短い会話をしましょう。

	役割		依頼の内容
	依頼をする人	依頼をされる人	
1	先生	学生	大きい荷物を運ぶ
2	上司	部下	会議資料を準備する
3	学生と学生（あまり親しくない）		発表の順番を替わる
4	同僚と同僚（親しい）		代わりに出張に行く

会話のヒント	「もったいない」はほめことば？

　留学生のベンは日本人のあきが好きになり、「君のことが好きです。付き合ってください。」とメールで告白しました。しばらくして返信が来ましたが、それには「あなたは私にはもったいない人です。」と書いてありました。さて、あきは告白を受け入れてくれたのでしょうか。それとも、断っているのでしょうか。

　あきはベンのことをほめているから受け入れていると考えた人もいるかもしれません。しかし、残念ながら、これは断りの表現です。日本語では、自分にはその依頼を受けるだけの資格や能力がないということを述べて、依頼を断ることがあります。謙遜を示すことによって、相手への配慮を表すわけです。同じような表現として、仕事を頼まれたときに「私には荷が重過ぎます。」「私では力不足です。」と言って断ることもよくあります。

セクション3　総合練習

　最後に、「依頼する－依頼に答える」やり取りを含んだ長い会話を聞いたり、話したりする練習をしましょう。

🎧 聞いてみよう

1. 会話を聞いて、次の問題に答えましょう。　🎧 トラックNo.17
① どのような依頼をしましたか。

[1]

[2]

② 依頼をされた人は、どうしましたか。

③ 会話のスクリプト（154ページ）を見て、二人の関係や負担の大きさに注意しながら、「依頼する－依頼に答える」で使われた表現を確認しましょう。

2. 会話を聞いて、次の問題に答えましょう。　🎧 トラックNo.18
① どのような依頼をしましたか。

[1]

② 依頼をされた人は、どうしましたか。

③ 会話のスクリプト（154ページ）を見て、二人の関係や負担の大きさに注意しながら、「依頼する－依頼に答える」で使われた表現を確認しましょう。

話してみよう

このユニットで学んだことを活用して、ロールプレイをしましょう。

1.
① ペアを組んで、一人はAの役、もう一人はBの役をしてください。Aの役の人は167ページのロールカード1Aを、Bの役の人は168ページのロールカード1Bを見てください。(相手のカードは見ないでください。)

② Aの役の人はBの役の人に依頼をします。Aの役の人から話し始め、ロールカードに書かれた情報をできるだけ多く取り入れて、やり取りを続けてください。

2.
① ペアを組んで、一人はAの役、もう一人はBの役をしてください。Aの役の人は167ページのロールカード2Aを、Bの役の人は168ページのロールカード2Bを見てください。(相手のカードは見ないでください。)

② Aの役の人はBの役の人に依頼をします。Aの役の人から話し始め、ロールカードに書かれた情報をできるだけ多く取り入れて、やり取りを続けてください。

ユニット3　謝罪する

セクション1　謝罪する

誰でも失敗をしたり、時間を守れなかったりすることはあるでしょう。そんなとき適切に謝ることができないと、迷惑をかけてしまった人との関係が悪くなってしまうかもしれません。このセクションでは、相手との関係や相手が受けた迷惑の大きさに注意しながら、謝罪するときにどのようなストラテジーや表現を使えばよいかを学びましょう。

■ 聞いてみよう　トラックNo.19〜22

① 短い会話を4つ聞いて、下の表を完成させましょう。まず上下関係を判断し、目上でない場合は親疎関係も選択してください。

	どんな人に謝罪しましたか	何について謝罪しましたか	迷惑の大きさは？
会話1	↗ or → 　　 or		or
会話2	↗ or → 　　 or		or
会話3	↗ or → 　　 or		or
会話4	↗ or → 　　 or		or

② もう一度4つの会話を聞いて、謝罪する表現を記入しましょう。

	使われている表現
会話1	
会話2	
会話3	
会話4	

③ ①の表と②の表現を見て、会話の相手と迷惑の大きさによって、表現にどのような違いがあるかクラスで話し合いましょう。

くわしく学ぼう

1. 謝罪する表現

（1）目上の人や親しくない人に謝罪するとき

会話1　トラックNo.19

状況：大学生のジャミラは先生との面談の約束に3分遅れて到着しました。

ジャミラ……お待たせして、すみませんでした。
先生…………いいよ、いいよ。じゃあ始めようか。

会話2　トラックNo.20

状況：ミルコは、イタリアンレストランでウェイターのアルバイトをしています。コーヒーを出そうとしたら、手がすべってお客さんの服にこぼしてしまいました。

ミルコ………あっ！　申し訳ございません！
客……………もーっ！　気をつけてよ！

目上の人や親しくない人に謝罪するときの基本フレーズは、次の3つです。

```
重い ↑  「申し訳ありません（でした）」
     │  「すみません（でした）」
軽い ↓  「失礼しました」
```

「失礼しました」は、不作法をしてしまって軽く謝罪するときにだけ使われます。
基本フレーズをより丁寧な（重い）形にするには、次のような方法があります。
・謙譲語や丁寧語に変える　　例）ありません→ございません
　　　　　　　　　　　　　　　　しました→いたしました
・強調する表現を加える　　　例）本当に　大変　誠に

　強調の表現「本当に」「大変」「誠に」は、相手に迷惑をかけたことを反省してからでないと使えないので、会話2のようにとっさに謝るときには使えません。

このようにしてできた表現のうち、よく使われるものは次のとおりです。

```
重い ↑
    誠に申し訳ございません（でした）。
    大変申し訳ありません（でした）。
    本当に申し訳ありません（でした）。
    申し訳ございません（でした）。
    申し訳ありません（でした）。
    すみません（でした）。
軽い ↓
    失礼しました。
```

練習

相手との関係や相手にかけた迷惑（めいわく）の大きさに注意して、謝罪（しゃざい）する表現を考えましょう。
① あなたは、2時に先生と面談の約束をしていましたが、そのことをすっかり忘れてしまいました。4時になって面談があったことに気づいて、先生に電話をかけて謝ります。
② アルバイト中、お客さんが探している商品が売り切れていることを伝え、謝ります。
③ あなたは、上司（じょうし）が大切にしているトロフィーを落として壊（こわ）してしまい、そのことを上司に謝ります。

（2）対等・目下で親しい人に謝罪するとき

会話3　トラックNo.21

状況：ホアンは、しんじにチケット代を立て替えてもらいました。翌日、ホアンはしんじに話しかけられました。
しんじ………昨日のチケット代、もらってもいい？
ホアン………ごめん。今日お金持ってないから、あしたでいい？

会話4　トラックNo.22

状況：ジュリアンは、恋人のかおりに呼び出されました。
かおり…………私に内緒で合コン行ったんだってね。ありえないんだけど。
ジュリアン……本当にごめん。お詫（わ）びに何でも言うこと聞くから、許して！　お願い！

対等・目下で親しい人に謝罪するときの基本フレーズは、次の2つです。

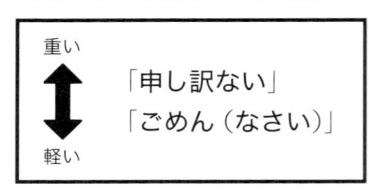

```
重い ↑
    「申し訳ない」
    「ごめん（なさい）」
軽い ↓
```

「申し訳ない」は主に男性が使います。「ごめん（なさい）」は男女とも使えますが、女性のほうがよく使います。基本フレーズをより丁寧な（重い）形にするには、次のような方法があります。
・強調する表現を加える　　例）本当に　ほんと（に）

　強調の表現「本当に」「ほんと（に）」は、相手に迷惑をかけたことを反省してからでないと使えないので、とっさに謝るときには使えません。
　このようにしてできた表現のうち、よく使われるものは次のとおりです。

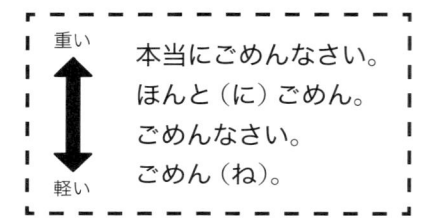

```
重い ↑
    本当にごめんなさい。
    ほんと（に）ごめん。
    ごめんなさい。
    ごめん（ね）。
軽い ↓
```

練習

相手との関係や相手にかけた迷惑の大きさに注意して、謝罪する表現を考えましょう。
① あなたは、電車で隣に立っている友達の足を踏んでしまい、謝ります。
② あなたは、後輩のパソコンにコーヒーをこぼして壊してしまい、そのことを後輩に謝ります。
③ あなたは、友達に借りた1万円を今日返すはずだったのに持ってくるのを忘れてしまい、そのことを友達に謝ります。

2. 謝罪する表現とともに使われるストラテジー

　日本語では謝罪する表現だけを使って謝罪することも多いですが、次のようなストラテジーと組み合わせることもあります。こうしたストラテジーは、心から反省している印象を与えることによって、許してもらいやすくする働きがあります。

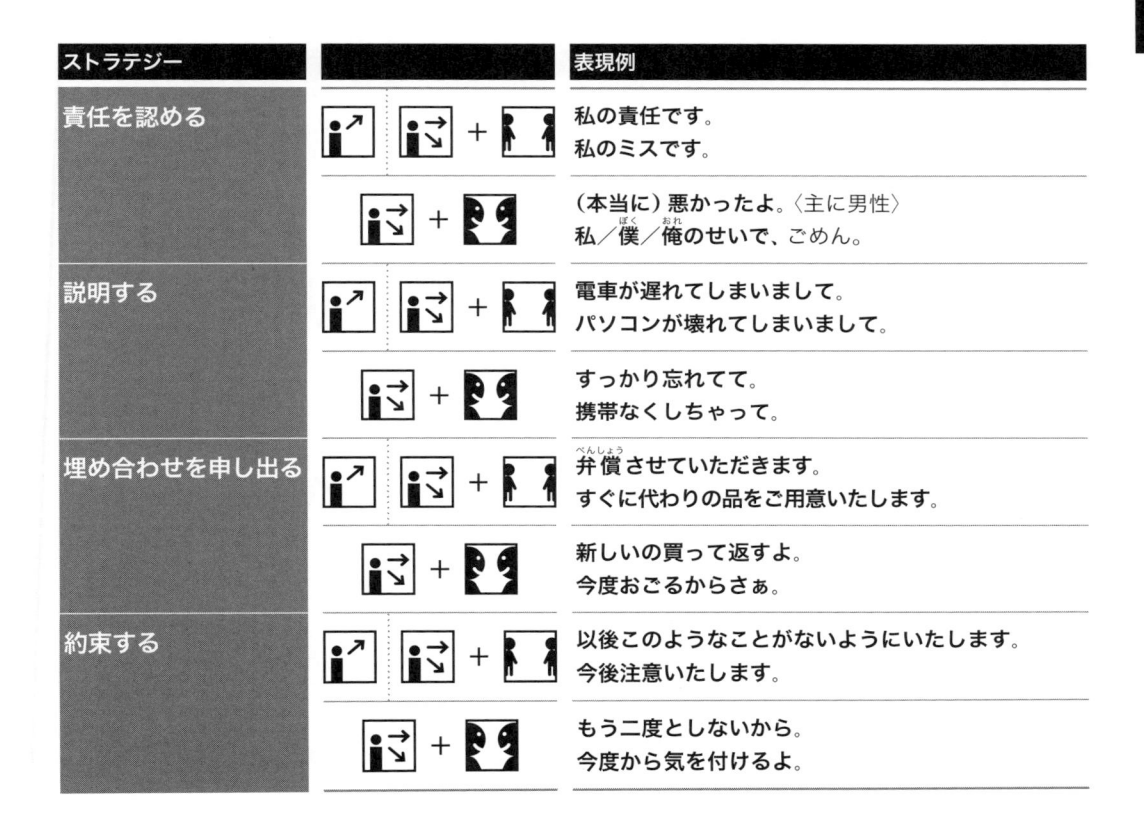

ストラテジー		表現例
責任を認める	🧍↑ 🧍↗ + 👧	私の責任です。 私のミスです。
	🧍↗ + 😎	（本当に）悪かったよ。〈主に男性〉 私／僕／俺のせいで、ごめん。
説明する	🧍↑ 🧍↗ + 👧	電車が遅れてしまいまして。 パソコンが壊れてしまいまして。
	🧍↗ + 😎	すっかり忘れてて。 携帯なくしちゃって。
埋め合わせを申し出る	🧍↑ 🧍↗ + 👧	弁償させていただきます。 すぐに代わりの品をご用意いたします。
	🧍↗ + 😎	新しいの買って返すよ。 今度おごるからさぁ。
約束する	🧍↑ 🧍↗ + 👧	以後このようなことがないようにいたします。 今後注意いたします。
	🧍↗ + 😎	もう二度としないから。 今度から気を付けるよ。

　ただし、【説明する】は言い訳をしているように思われてしまうこともあるため、使うときには注意が必要です。謝罪する表現を使ってはっきりと謝罪してから使うようにしましょう。また、目上の人に謝罪するときには、あまり使わないほうがいいでしょう。例1のように、相手に理由を問われてから使うのは問題ありません。

例1:

平井	本当に申し訳ありません。	謝る
	私の責任です。	責任を認める
阿部	どうしてこうなったの？	
平井	昨日鍵をかけるのを忘れて帰ってしまいました。	説明する
	今後このようなことがないようにいたします。	約束する

また、男性は対等・目下で親しい人に謝罪する場合、例2のように謝罪する表現を使わずに、「悪いね」「わりぃ（悪い）」「悪かった」などの【責任を認める】だけを使って謝ることもあります。

例2:
あきら……………お前、昨日、酔いつぶれて大変だったんだぞ。
たくや……………ほんとに悪かったよ！　　　　　　　　　　　責任を認める
　　　　　　　　ちょっと寝不足だったんだ。　　　　　　　　説明する
　　　　　　　　今度からもっと気をつけるよ。　　　　　　　約束する
あきら……………ほんと頼むよ～。
たくや……………だから悪かったってば。　　　　　　　　　　責任を認める
　　　　　　　　お詫びに昼飯おごるから。　　　　　　　　　埋め合わせを申し出る

まとめの練習

相手との関係や相手にかけた迷惑の大きさに注意し、謝罪する表現と必要なストラテジーを組み合わせて、謝罪をしましょう。

① あなたは友達から借りた自転車を盗まれてしまいました。あなたはその友達に謝ります。
あなた：

② あなたは配達のアルバイトをしています。配達時間が2時間遅れたことをお客さんに謝ります。
あなた：

③ あなたは先輩に会いました。昨日もらったメールの返信をまだしていないので、そのことを謝ります。
あなた：

話してみよう

1. 「くわしく学ぼう」の会話1～4をペアになって練習しましょう。
2. ① 次の役割や迷惑の大きさに合った謝罪の内容を考えて、書きましょう。

	役割		迷惑の大きさ	謝罪の内容
	謝罪をする人	謝罪をされる人		
例	学生	学生	:(	借りたお金を今返せない
1	学生	先生	:(	
2	部下	上司	:'(	
3	学生と学生（親しい）		:'(	
4	同僚と同僚（あまり親しくない）		:(	

② 上の内容で、謝罪する表現とほかに必要なストラテジーを考えて、下の欄に書きましょう。

例	ごめん。今日お金持ってないから、明日でいい？
1	
2	
3	
4	

③ ペアになって、①の各場面で②で書いた表現を使って謝罪をしてください。相手の人はそれに対して答えてください。その後、役割を交代して、同様に練習しましょう。

会話のヒント	「ごめんね」の「ね」って何？

　「ごめんね」「すみませんね」のように【はっきり謝(あやま)る】の最後に「ね」をつけることがあります。女性がよく使いますが、男性が女性に謝るときにも使うことがあります。「ね」には親しさを強調する働きがあるため、その人との関係をよくしたいという気持ちが表れます。しかし、「ね」には相手からの同意を求める働きもあるため、「謝っているのだから許してくれますよね」という意図も伝わります。ですので、相手にかけた迷惑が大きい場合には使えません。また、「ごめんね」「すみませんね」などの表現は、感情がこもっていない平板(へいばん)なイントネーションで発音すると「どうして私が怒られなければいけないの？！」と不満に思っているように聞こえてしまうことがあるので、イントネーションにも注意が必要です。

セクション2　謝罪に答える

　ほかの人から謝罪された場合、その後の相手との関係を考えたら受け入れたほうがいいに決まっています。しかし、時にはどうしても許せないこともあるでしょう。また、許すかどうか決めるために理由を知りたいこともあるかもしれません。このセクションでは、謝罪されたときのいろいろな返事の仕方を学びましょう。

■ 聞いてみよう　🔘 トラックNo.23～25

① 短い会話を3つ聞いて、下の表を完成させましょう。まず上下関係を判断し、目上でない場合は親疎関係も選択してください。返事については、下のa～cの選択肢から選びましょう。

a……受け入れた　b……受け入れなかった　c……どちらでもない

	どんな人に謝罪されましたか	何について謝罪されましたか	謝罪を受け入れましたか
会話1	🧍↗ or 🧍↘　🧍 or 👥		a　b　c
会話2	🧍↗ or 🧍↘　🧍 or 👥		a　b　c
会話3	🧍↗ or 🧍↘　🧍 or 👥		a　b　c

② もう一度3つの会話を聞いて、謝罪に答える表現を記入しましょう。

	使われている表現
会話1	
会話2	
会話3	

③ ①の表と②の表現を見て、会話の相手や謝罪を受け入れるかどうかによって、答え方にどのような違いがあるかクラスで話し合いましょう。

くわしく学ぼう

1. 謝罪を受け入れるとき

会話1 　トラックNo.23

状況：エファはコンビニでアルバイトをしています。店長から電話があり、人が足りないので今から来てほしいと頼まれました。出勤したエファに、店長が声をかけました。

店長………悪いね、急に呼び出して。
エファ………あ、いえ。今日は空いていましたので、どうぞご心配なく。

　謝罪を受け入れないと、相手との今後の関係に悪い影響を与えることもあります。特に、目上の人からの謝罪を受け入れないのは失礼になるので、なるべく避けたほうがよいでしょう。謝罪を受け入れるときには、次のようなストラテジーがよく使われます。目上の人には【約束を求める】は使わないことに注意しましょう。

ストラテジー		表現例
迷惑していないと伝える	↗ ↗ + 👤	いえいえ、大丈夫です。 いえ、平気ですから。
	↘ + 😊	（ううん、）大丈夫。 （ううん、）平気平気。
謝罪の必要がないと伝える	↗ ↗ + 👤	どうぞご心配なく。 気になさらないでください。
	↘ + 😊	気にしないで。 わざわざ謝ってもらうほどのことじゃないよ。
約束を求める	↘ + 👤	これからは気をつけてくださいね。 次はお願いしますよ。
	↘ + 😊	これからは気をつけて。 来週ちゃんと持ってきてね。

練習

相手との関係に注意して、謝罪を受け入れる表現を考えましょう。
① 取引先の都合で打ち合わせがキャンセルになり、あなたはその人に謝られました。
② あなたは友達と待ち合わせをしています。15分遅れてきた友達に謝られました。
③ 居酒屋で隣のお客さんがこぼしたお酒があなたにかかり、その人に謝られました。

2. 謝罪を受け入れないとき

会話2　トラックNo.24

状況：ゆうすけはギフンの秘密をほかの友達に話してしまいました。とても怒っている様子のギフンに、ゆうすけが話しかけました。

ゆうすけ……話すつもりはなかったんだけど、つい…。
　　　　　　ほんとにごめん。
ギフン………謝って済む問題かよ。

　謝罪を受け入れないときに使われるストラテジーには、次のようなものがあります。これらはかなり強い表現なので、目上の人には基本的に使いません。対等・目下の相手であっても、どうしても許せないというときに限って使ったほうがよいでしょう。

ストラテジー		表現例
補償を求める		弁償してください。 何とかしてください。
		新しいの買って返してよ。 どうしてくれるんだ（よ）。
迷惑だと言う		こういうことされると困るんです。 迷惑してるんですよ。
		迷惑なんだけど。 こっちの身にもなってよ。
聞き入れない		もう結構です（から）。 謝って済む問題じゃありませんよ。
		もういい。 謝ればいいってもんじゃないでしょ。

怒りを表す	何なんですか！ いいかげんにしてください（よ）！
	ふざけるな（よ）。／いいかげんにしろ。〈主に男性〉 ふざけないで（よ）。／いいかげんにして（よ）！〈主に女性〉

練習

相手との関係に注意して、謝罪を受け入れない表現を考えましょう。
① あなたは、あなたの悪口を言っていた友達にそのことを謝られました。
② あなたは、恋人の誕生日に予約したレストランにやってきましたが、席がないと謝られました。
③ あなたは獣医に、医療ミスでペットを死なせてしまったと謝られました。

3. すぐには答えられないとき

会話3　トラックNo.25

状況：ゆうたとリーケは恋人同士です。電話で話していると、ゆうたが言いました。
ゆうた………ごめん、あしたの約束だけど、行けなくなっちゃった。
リーケ………えっ、どういうこと？
ゆうた………急に就活で面接が入っちゃって。

　謝罪を受け入れるかどうかすぐには決められないときには、相手に説明を求めることがあります。しかし目上の人からの謝罪を受け入れないのは失礼になるので、まず受け入れてから説明を求めるようにしましょう。【説明を求める】場合には、次のようなストラテジーがよく使われます。

ストラテジー	表現例
説明を求める	どうなさったんですか。 何かあったんですか。
	どうしたの？ なんで？

練習

相手との関係に注意して、すぐには答えない表現を考えましょう。

① あなたは、今日の午後、先生と会う約束をしていましたが、会えなくなったと電話で謝(あやま)られました。

② あなたが、本屋で注文した、今日届くはずの本が届いていないと店員に謝られました。

③ あなたは、友達と食事中です。その友達に、急に帰らなければならなくなったと謝られました。

まとめの練習

相手との関係や自分にかかった迷惑(めいわく)の大きさを考えて、どのような返事をするか決め、必要なストラテジーを組み合わせて答えましょう。

① 今日はあなたの誕生日パーティーがあり、友達がケーキを作ってくれることになっています。パーティーの直前に友達に話しかけられました。

友達:ケーキ、失敗しちゃった。ほんとにごめん！

あなた:

② あなたは友達と待ち合わせをしていましたが、約束の時間になっても友達が来ませんでした。30分後に友達から電話がかかってきました。

友達:ほんとにごめん…。

あなた:

③ あなたはクリーニングに出したジャケットを取りに行きました。クリーニング店の店員が、あなたにジャケットを渡しながら言いました。

店員:お客様、大変申し訳ございません。こちらの不注意で色落ちしてしまいました。

あなた:

話してみよう

1. 「くわしく学ぼう」の会話1〜3をペアになって練習しましょう。
2. 次の1〜4の場面にもとづいて、短い会話をしましょう。

	役割		謝罪の内容
	謝罪をする人	謝罪をされる人	
1	先生	学生	貸すことになっていた本を忘れた
2	アルバイト先の上司	学生	足を踏んだ
3	同僚と同僚（親しい）		借りていたCDをなくした
4	学生と学生（知らない人）		ひじがぶつかった

会話のヒント	「いえいえ」で受け入れる

　謝罪を受け入れるときに、最初に「いえ」「いえいえ」「ううん」などと否定のことばを言うことがあります。（「いいえ」はあまり使いません。）例えば、「いえ、大丈夫です。」「いえいえ、気にしないでください。」などのように言います。これは、相手の謝罪を否定しているのではなく、謝罪をする必要がないという意味です。つまり、謝罪を受け入れるときに使われているわけです。簡単に答える時には、「あ、いえ。」や「いえいえ。」だけしか言わないこともあります。

セクション3　総合練習

最後に、「謝罪する－謝罪に答える」やり取りを含んだ長い会話を聞いたり、話したりする練習をしましょう。

■ 聞いてみよう

1. 会話を聞いて、次の問題に答えましょう。　トラックNo.26

① 何について謝罪をしましたか。

[1]

② 謝罪をされた人は、どうしましたか。

③ 会話のスクリプト（155ページ）を見て、二人の関係や迷惑の大きさに注意しながら、「謝罪する－謝罪に答える」で使われた表現を確認しましょう。

2. 会話を聞いて、次の問題に答えましょう。　トラックNo.27

① 何について謝罪をしましたか。

[1]

[2]

② 謝罪をされた人は、どうしましたか。

③ 会話のスクリプト（155ページ）を見て、二人の関係や迷惑の大きさに注意しながら、「謝罪する－謝罪に答える」で使われた表現を確認しましょう。

■ 話してみよう

このユニットで学んだことを活用して、ロールプレイをしましょう。

1.
① ペアを組んで、一人はAの役、もう一人はBの役をしてください。Aの役の人は169ページのロールカード1Aを、Bの役の人は170ページのロールカード1Bを見てください。（相手のカードは見ないでください。）

② Aの役の人はBの役の人に謝罪します。Bの役の人から話し始め、ロールカードに書かれた情報をできるだけ多く取り入れて、やり取りを続けてください。

2.
① ペアを組んで、一人はAの役、もう一人はBの役をしてください。Aの役の人は169ページのロールカード2Aを、Bの役の人は170ページのロールカード2Bを見てください。（相手のカードは見ないでください。）

② Aの役の人はBの役の人に謝罪します。Bの役の人から話し始め、ロールカードに書かれた情報をできるだけ多く取り入れて、やり取りを続けてください。

ユニット4　誘う

セクション1　誘う

　誰かと一緒に何かの活動をすることによって、その人のことをよく知ることができ、より親しくなることができますが、そのための第一歩は相手を誘うことです。このセクションでは、相手との関係や相手が興味を持っているかどうかによって、誘うときにどのようなストラテジーや表現を使えばよいのか学びましょう。

■ 聞いてみよう　トラックNo.28～31

① 短い会話を4つ聞いて、下の表を完成させましょう。まず上下関係を判断し、目上でない場合は親疎関係も選択してください。

	どんな人を誘いましたか	何に誘いましたか	相手が興味を持っていると知っていましたか
会話1	↗ or ↘　親 or 疎		☺ or 😐
会話2	↗ or ↘　親 or 疎		☺ or 😐
会話3	↗ or ↘　親 or 疎		☺ or 😐
会話4	↗ or ↘　親 or 疎		☺ or 😐

② もう一度4つの会話を聞いて、誘う表現を記入しましょう。

	使われている表現
会話1	
会話2	
会話3	
会話4	

③ ①の表と②の表現を見て、相手との関係や、相手が興味を持っていることを知っていたかどうかによって、表現にどのような違いがあるかクラスで話し合いましょう。

くわしく学ぼう

1. 誘う表現

(1) 目上の人や親しくない人を誘うとき

会話1 トラックNo.28

状況：ミカルは会社員です。取引先の佐々木部長がゴルフ好きと聞き、佐々木部長に電話をかけました。

ミカル………佐々木さん、来月、弊社でゴルフコンペを行うのですが、もしよろしかったらいらしていただけませんか。

佐々木………いいですねぇ。何日ですか。

会話2 トラックNo.29

状況：イダはキャンパスでボランティア活動の勧誘をしています。

イダ………………あの、私たちボランティア活動をしているんですけど、もし興味があったら一緒にどうですか。

知らない学生……あー、すみません。興味はあるんですが、今、勉強が忙しくて…。

目上の人や親しくない人を誘うときの基本フレーズは、次の4つです。

```
間接的 ↑   「～たらと思ったのですが」
            「～ていただけませんか」
            「～ませんか」
直接的 ↓   「どうですか」
```

基本フレーズをより間接的な形にするには、次のような方法があります。
- 尊敬語に変える　例）来て　→　いらして
- 丁寧語に変える　例）どう　→　いかが

目上の人を誘うときには、相手の行為を表す動詞は尊敬語を使ったほうがよいでしょう。相手との上下の差が大きかったり、よく知らない相手であるほど、より間接的な表現を使うようにしましょう。相手の趣味を知っていたり、過去に一緒にしたことがあったりして、相手が誘いの内容に興味を持っていることが明らかな場合には、より直接的な表現が使われます。

　このようにしてできた表現のうち、よく使われるものは次のとおりです。

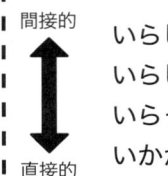

```
間接的  いらしていただけたらと思ったのですが。
  ↑    いらしていただけませんか。
  ↓    いらっしゃいませんか。
直接的  いかがですか。
```

練習

相手との関係や相手が興味を持っていることを知っていたかどうかに注意して、誘う表現を考えましょう。

① 今日は暑い日でした。あなたは、ビールが大好きな上司をビアガーデンに誘います。
② あなたは、アルバイト先の仲間と釣りに行くことになり、先輩スタッフを誘います。先輩が釣りに興味があるかどうかはわかりません。
③ あなたは、キャンパスで新入生を自分のダンスサークルに誘います。

（2）対等・目下で親しい人を誘うとき

会話3　トラックNo.30

状況：アニメ好きのハビエルは、同じくアニメが大好きなだいすけに話しかけました。

ハビエル……来週の日曜日、アニメフェスティバルがあるんだけど、暇だったら一緒に行こうよ。
だいすけ……あ、それ行きたいと思ってたんだぁ。もちろん行くよ！

会話4　トラックNo.31

状況：スニサーは会社の親しい後輩のちはるに話しかけました。

スニサー……美術展の招待券もらったんだけど、もしよかったら今週末一緒に見に行かない？

ちはる………行きたいんですけど、今週末はもう予定が入ってて…。来週末じゃだめですか。

対等・目下で親しい人を誘うときの基本フレーズは、次の5つです。

```
間接的
 ↑    「～ないかなって思って」
 │    「～たらうれしいんだけど」
 │    「どう？」
 │    「《動詞の辞書形》？」
 ↓    「～よう（よ）」
直接的
```

「《動詞の辞書形》？」を「～ない？」に変えると、より間接的になります（例：行く？→行かない？）。相手の趣味を知っていたり、過去に一緒にしたことがあったりして、相手が誘いの内容に興味を持っていることが明らか場合には、より直接的な表現が使われます。一緒にやりたい気持ちを強く表したいときには、「～よう（よ）」がよく使われます。

このようにしてできた表現のうち、よく使われるものは次のとおりです。

```
間接的
 ↑    一緒に行けないかなって思って。
 │    一緒に行けたら嬉しいんだけど。
 │    一緒にどう？
 │    一緒に行かない？
 │    一緒に行く？
 ↓    一緒に行こう（よ）。
直接的
```

練習

相手との関係や相手が興味を持っていることを知っていたかどうかに注意して、誘う表現を考えましょう。

① あなたは、甘いものが大好きな友達をケーキバイキングに誘います。
② あなたは、同僚をタイ料理のお店に誘います。その同僚がタイ料理を好きかどうかはわかりません。

③ あなたは、会社の飲み会の後、後輩(こうはい)をカラオケに誘います。後輩がカラオケ好きかどうかはわかりません。

2. 誘う表現とともに使われるストラテジー

　誘(さそ)うときには、誘う表現を言う前に相手が興味(きょうみ)を持っているか確認したり、状況を説明したりすることがあります。また、相手が誘いに応じてくれるかどうかわからないときには、相手が誘いを断りやすくするストラテジーを付け加えることもよくあります。そうすることによって押し付けが弱くなり、丁寧(ていねい)になるからです。いくつかのストラテジーを組み合わせて使うこともできます。

ストラテジー		表現例
前置きする	↗ ↘ + 👥	ゴルフにご興味(きょうみ)ありますか／ありませんか。 来月の3日、ご予定ありますか。
	↘ + 👥	今から空いてる／空いてない／予定ある？ 甘いもの好きだったよね？
説明する	↗ ↘ + 👥	今度、高橋さんの歓迎会(かんげいかい)をすることになったんです。 今夜、近くで花火大会があるんですよ。
	↘ + 👥	あしたみんなでボウリングするんだけど、一緒に行かない？ 近くに新しいラーメン屋ができたんだって！
条件(じょうけん)を仮定(かてい)する	↗ ↘ + 👥	（もし）ご都合がよろしければ、いらっしゃいませんか。 （もし）ご興味があれば、ご一緒にいかがですか。
	↘ + 👥	（もし）空いてたらだけど、あさって来る？ 辛いもの苦手じゃなかったら、一緒にどう？
限定(げんてい)を避(さ)ける	↗ ↘ + 👥	次の連休にでも、遊びにいらっしゃいませんか。 課長、今度ゴルフでもいかがですか。
	↘ + 👥	土曜にでも飲み会しない？ 北海道でも九州でもいいし、夏休みどっか行かない？

　【条件を仮定する】は、相手の都合や興味、時間などに関する条件が合う場合にだけ誘うことを伝えることによって、相手が断りやすくするストラテジーです。【限定を避ける】は、日時・場所・やることなどは変わってもかまわないと伝えることによって、押し付けを弱める働きがあります。

　また、誘う表現を使ってはっきり誘う代わりに【前置きする】や【説明する】だけを使い、誘いたい気持ちをほのめかすこともできます。ただしこれらのストラテジーだけを使った

場合、相手は自分が誘われていると気が付かないこともあります。相手の気持ちに配慮しながらも誘う意図を確実に伝えたいときには、以下の例のように追加ストラテジーだけでなく、誘う表現も使いましょう。

例:
エレーン	先生、<u>来週の日曜日空いてませんか。</u>	前置きする
先生	えっ、空いてるけど、どうして？	
エレーン	あっ、<u>クラスのみんなでまた飲み会でもしたいねって、さっき話してたんです。</u>	説明する
	もしお時間があったらですが、	条件を仮定する
	先生もいかがですか。	誘う
先生	おっ、いいですねー。	

まとめの練習

相手との関係や相手が興味を持っているかどうかに注意し、誘う表現と必要なストラテジーを組み合わせて、誘いましょう。

① あなたは大学2年生で、テニスサークルに入っています。新入生をサークル見学に誘います。

あなた:

② あなたは好きな野球チームの試合のチケットを2枚もらったので、同じチームのファンである同僚を誘います。

あなた:

③ あなたは前から気になっていた人をデートに誘います。

あなた:

■ 話してみよう

1. 「くわしく学ぼう」の会話1～4をペアになって練習しましょう。
2. ① 次の役割や相手の興味の有無に合った誘いの内容を考えて、書きましょう。

	役割		興味の有無	誘いの内容
	誘う人	誘われる人		
例	学生と学生（親しい）		(^_^)!	アニメフェスティバルに行く
1	学生	先生	(^_^)!	
2	部下	上司	(・_・)?	
3	同僚と同僚（親しい）		(^_^)!	
4	学生と学生（あまり親しくない）		(・_・)?	

② 上の内容で、誘う表現とほかに必要なストラテジーを考えて、下の欄に書きましょう。

例	来週の日曜日、アニメフェスティバルがあるんだけど、暇だったら一緒に行こうよ。
1	
2	
3	
4	

③ ペアになって、①の各場面で②で書いた表現を使って誘ってください。相手の人はそれに対して答えてください。その後、役割を交代して、同様に練習しましょう。

会話のヒント	デートOK？　それとも…？

　留学生のトムはさちこを遊園地に誘いました。さちこの返事は「うーん、みんなも一緒だったらいいよ。」でした。トムはデートの誘いを受けてもらえたのでしょうか。

　さちこは、「いいよ」と言っているので誘いを受け入れているように見えますが、その前に「みんなも一緒だったら」という条件をつけています。つまり、「遊園地に行くのは構わないけれど、トムと2人きりでは行きたくない」と断っているわけです。

　では、さちこはなぜわざわざこんな遠回しな断り方をしたのでしょうか。さちこは、トムの気持ちを傷つけないように配慮しながら「2人きりで行く＝デートをする」という誘いは断るために、あえてあいまいで遠回しな表現を使ったわけです。

セクション2　誘いに答える

　誘いの場合も依頼の場合と同じで、断ると相手との関係が悪くなってしまう可能性があるため、応じるときよりも断るときのほうが返事の仕方は難しくなります。このセクションでは、誘われたときの答え方として、どのようなストラテジーや表現が使えるのかを学びましょう。

■ 聞いてみよう　🔘 トラックNo.32～34

① 短い会話を3つ聞いて、下の表を完成させましょう。まず上下関係を判断し、目上でない場合は親疎関係も選択してください。返事については、下のa～cの選択肢から選びましょう。

a……応じた　b……断った　c……どちらでもない

	どんな人に誘われましたか		何に誘われましたか	誘いに応じましたか
会話1	↗ or →	👧 or 👹		a　b　c
会話2	↗ or →	👧 or 👹		a　b　c
会話3	↗ or →	👧 or 👹		a　b　c

② もう一度3つの会話を聞いて、誘いに答える表現を記入しましょう。

	使われている表現
会話1	
会話2	
会話3	

③ ①の表と②の表現を見て、会話の相手や誘いに応じるかどうかによって、答え方にどのような違いがあるかクラスで話し合いましょう。

くわしく学ぼう

1. 誘いに応じるとき

会話1　トラックNo.32

状況：昼休みに、ロッテは友達のみさきに話しかけられました。
みさき………ねぇねぇ、一緒にお昼食べに行かない？
ロッテ………行く行く！

　誘いに応じるときは短い表現ですませることができます。次のようなストラテジーがよく使われます。

ストラテジー		表現例
はっきり頼む		ぜひお願いします。 ぜひご一緒させてください。
希望・喜びを伝える		ぜひ伺いたいです。 喜んでお供させていただきます。
		行きたい！ うれしい！　見たいと思ってたんだ、その映画。
強調する		ぜひぜひ。
		行く行く！
同意する		ええ、ぜひ。 いいですねぇ。
		いいね！ もちろん。

　目上や親しくない人から誘われた場合には、【はっきり頼む】を使って応じることもよくあります。誘われているのではなく、むしろ自分のほうからお願いしているのだという態度を示すことによって、自分の立場を下げ、相手に対する敬意を伝えることができるからです。誘いに応じたいという積極的な気持ちを伝えるために、「ぜひぜひ」「行く行く」のように同じ言葉を繰り返す【強調する】を使うこともあります。

練習

相手との関係に注意して、誘いに応じる表現を考えましょう。
① あなたは先輩から、あなたが大好きな歌手のライブに誘われました。
② あなたは友達から、あなたが以前から行きたがっていた遊園地に行こうと誘われました。
③ あなたは商談の後で、取引先からお酒の席に誘われました。

2. 誘いを断るとき

会話2 トラックNo.33

状況：会社員のモーハンは、会社の先輩の長谷川に話しかけられました。

長谷川………今夜、みんなで焼肉食べに行くんだけど、モーハンくんも一緒にどう？
モーハン……あの、せっかくですが、僕ベジタリアンなので…。申し訳ありません。

　誘いを断られた相手は残念な気持ちになることでしょう。そのため、断るときは次のようなストラテジーを組み合わせて、相手の気持ちに配慮した返事をする必要があります。

ストラテジー		表現例
興味を示す	↗ ↗ + 👤	わぁ、いいですね。でも明日は仕事がありまして。ぜひ行きたいんですけど、明日は予定があって。
	↗ + 👥	いいね、面白そう。でもあしたはちょっと無理なんだよね。すごく行きたかったんだけど、あしたは用事があって。
理由を言う	↗ ↗ + 👤	ちょっとその日は予定がありまして。最近体調が悪くて…。
	↗ + 👥	ちょっとその日は用事があるんだ。あした試験なんだ。
謝る	↗ ↗ + 👤	伺えず、**申し訳ございません**。すみませんが、その日は約束があるので…。
	↗ + 👥	悪いんだけど、今回はちょっと無理かも。お酒は飲めないんだ。**ごめんね**。

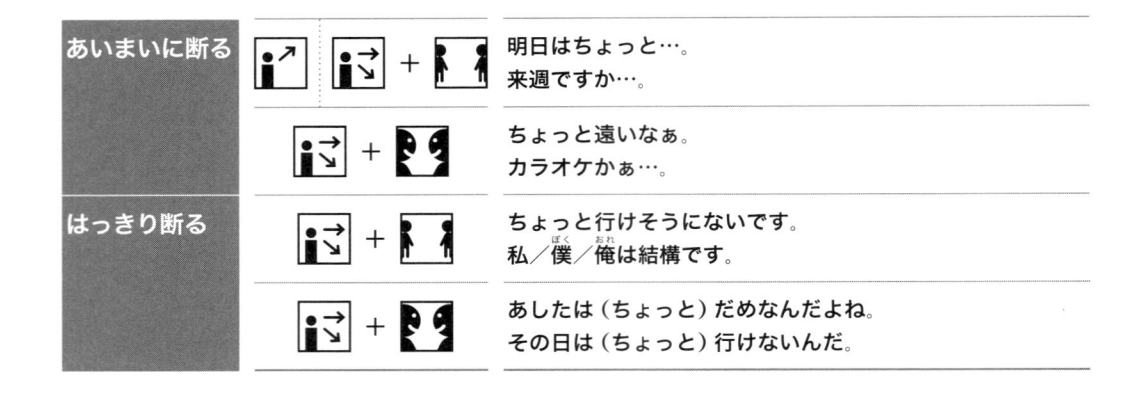

あいまいに断る	↗ ↘ + 👥	明日はちょっと…。 来週ですか…。
	↘ + 👀	ちょっと遠いなぁ。 カラオケかぁ…。
はっきり断る	↘ + 👥	ちょっと行けそうにないです。 私／僕／俺は結構です。
	↘ + 👀	あしたは（ちょっと）だめなんだよね。 その日は（ちょっと）行けないんだ。

【はっきり断る】は失礼に聞こえることがあるので、目上の相手には使いません。対等・目下で親しい相手に対しても、以下の例のように、必ずほかのストラテジーと組み合わせて使うようにしましょう。**ユニット2 依頼する**（32ページ）も参考にしてください。

例:

なおみ……………今度の土曜日、映画に行かない？

アベナ……………あー、土曜日はだめなんだ。　　　　　　　**はっきり断る**
　　　　　　　　バイトが入ってて。　　　　　　　　　　　　**理由を言う**
　　　　　　　　ごめんね。　　　　　　　　　　　　　　　　**謝る**

練習

相手との関係に注意して、誘いを断る表現を考えましょう。

① あなたは知らない宗教団体から入会しないかと誘われましたが、興味がありません。
② あなたは会社の先輩からホームパーティーに誘われましたが、すでに別の予定が入っています。
③ あなたは今日、友達からカラオケに誘われましたが、風邪を引いていて喉が痛いです。

3. すぐには答えられないとき

会話3 🎵 トラックNo.34

状況：リオネルは、会社のフットサル同好会に所属しています。同好会の先輩の三浦に話しかけられました。

三浦………ねえねえ、フットサルの練習試合が来週またあるんだけど、参加しない？

リオネル……あー、すみませんが、予定を確認させていただいてからでもいいですか。

すぐには答えられないときは、次のようなストラテジーがよく使われます。

ストラテジー		表現例
確認する	↗ ↘ + 👤	えっ、よろしいんですか。 いつでしょうか。
	↘ + 👥	ほかに誰が来るの？ ほんとにいいの？
保留する	↗ ↘ + 👤	予定を確認させていただいてからでもよろしいでしょうか。 お返事、明日まで待っていただけませんか。
	↘ + 👥	今すぐ返事しなきゃだめ？ ちょっと考えさせて。
条件を提示する	↗ ↘ + 👤	ほかの日でしたら空いているんですが。 遅れて参加してもよろしければ…。
	↘ + 👥	週末だったら行けるんだけど。 彼／彼女も一緒でよければ行くけど。

練習

相手との関係に注意して、すぐには答えない表現を考えましょう。

① あなたは、アルバイト先の上司から、1泊2日の社員旅行に誘われました。
② あなたは友達から、あなたの恋人と一緒に家に遊びに来ないかと誘われました。
③ あなたは先輩から、一緒に富士山に登ろうと誘われました。

まとめの練習

相手との関係や自分自身の興味(きょうみ)の有無を考えて、どのような返事をするか決め、必要なストラテジーを組み合わせて答えましょう。

① あなたは先輩(せんぱい)に話しかけられました。

　先輩: 来週、バンジージャンプしに行かない？

　あなた:

② あなたに友達から電話がかかってきました。

　友達: もしもし、あした空いてる？　一緒に買い物に行きたいなって思ったんだけど。

　あなた:

③ あなたは友達から話しかけられました。

　友達: ライオンキングのミュージカルのチケットが2枚あるんだけど、どう？

　あなた:

■話してみよう

1.「くわしく学ぼう」の会話1〜3をペアになって練習しましょう。
2. 次の1〜4の場面にもとづいて、短い会話をしましょう。

	役割		誘いの内容
	誘う人	誘われる人	
1	先生	学生	初詣に行く
2	係長	部下	部長との昼食会に参加する
3	学生と学生（親しい）		海外旅行に行く
4	同僚と同僚（あまり親しくない）		部で花見をする

会話のヒント	断るとき、くわしい理由を説明しなくてもいいの？

　くわしく学ぼう　2. 誘いを断るとき（65ページ）で紹介した【理由を言う】の表現について、何か気がつきましたか。そうです。「ちょっとその日は予定がありまして。」のように、断る理由を具体的に説明していませんよね。予定の内容まで具体的に言わなければ、理由を説明したことにはならないと考える人もいるかもしれません。しかし、日本語では誘いを断るときに、「予定がある」「用事がある」「都合が悪い」などと言い、具体的な内容まで説明することはあまりありません。誘った人も、それ以上説明を求めないことが多いのです。

セクション3　総合練習

最後に、「誘う－誘いに答える」やり取りを含んだ長い会話を聞いたり、話したりする練習をしましょう。

■ 聞いてみよう

1. 会話を聞いて、次の問題に答えましょう。　🅾 トラックNo.35
① どのような誘いをしましたか。

[1]

② 誘われた人は、どうしましたか。

③ 会話のスクリプト（156ページ）を見て、二人の関係や、誘われた人は興味があったかどうか、そのことを誘った人は知っていたかどうかに注意しながら、「誘う－誘いに答える」で使われた表現を確認しましょう。

2. 会話を聞いて、次の問題に答えましょう。　🅾 トラックNo.36
① どのような誘いをしましたか。

[1]

② 誘われた人は、どうしましたか。

③ 会話のスクリプト（157ページ）を見て、二人の関係や、誘われた人は興味があったかどうか、そのことを誘った人は知っていたかどうかに注意しながら、「誘う－誘いに答える」で使われた表現を確認しましょう。

■ 話してみよう

このユニットで学んだことを活用して、ロールプレイをしましょう。

1.
① ペアを組んで、一人はAの役、もう一人はBの役をしてください。Aの役の人は171ページのロールカード1Aを、Bの役の人は172ページのロールカード1Bを見てください。（相手のカードは見ないでください。）

② Aの役の人はBの役の人を誘います。Aの役の人から話し始め、ロールカードに書かれた情報をできるだけ多く取り入れて、やり取りを続けてください。

2.
① ペアを組んで、一人はAの役、もう一人はBの役をしてください。Aの役の人は171ページのロールカード2Aを、Bの役の人は172ページのロールカード2Bを見てください。（相手のカードは見ないでください。）

② Aの役の人はBの役の人を誘います。Aの役の人から話し始め、ロールカードに書かれた情報をできるだけ多く取り入れて、やり取りを続けてください。

ユニット5　申し出をする

セクション1　申し出をする

　困っている人が目の前にいたら、つい助けてあげたくなりますよね。また、おいしいお菓子は友達にも勧めたくなるでしょう。そうしたとき、適切な言い方で申し出をすることが大切です。言い方を間違えると、親切を押し付けているように聞こえ、相手を嫌（いや）な気持ちにさせてしまうかもしれないからです。このセクションでは、押し付けがましくならないように申し出をする方法を学びましょう。

■ 聞いてみよう　トラックNo.37～40

① 短い会話を4つ聞いて、下の表を完成させましょう。まず上下関係を判断し、目上でない場合は親疎（しんそ）関係も選択（せんたく）してください。

	どんな人に申し出をしましたか	どんな申し出をしましたか	相手が申し出を必要としていると知っていましたか
会話1	↗ or ↘ ／ 👥 or 👤		😊 or 😐
会話2	↗ or ↘ ／ 👥 or 👤		😊 or 😐
会話3	↗ or ↘ ／ 👥 or 👤		😊 or 😐
会話4	↗ or ↘ ／ 👥 or 👤		😊 or 😐

② もう一度4つの会話を聞いて、申し出をする表現を記入しましょう。

	使われている表現
会話1	
会話2	
会話3	
会話4	

③ ①の表と②の表現を見て、会話の相手と相手が申し出を必要としていると知っていたかどうかによって、表現にどのような違いがあるかクラスで話し合いましょう。

くわしく学ぼう

1. 申し出をする表現

（1）目上の人や親しくない人に申し出をするとき

会話1　トラックNo.37

状況：ヘレナは会社員です。上司に言われて、来客にお茶を出しに応接室に入りました。

ヘレナ………失礼いたします。よろしかったらお茶をどうぞ。
来客…………あぁ、すいません。

会話2　トラックNo.38

状況：リュウハのホームステイ先のお父さんが、取扱説明書を見ながらテレビの録画予約をしています。お父さんは困っているようです。

リュウハ……お父さん、僕がやりましょうか。
お父さん……そうしてもらってもいい？　機械はどうも苦手なんだよね。

申し出には、「何かをしてあげる」申し出と「物を勧める」申し出があります。
　目上の人や親しくない人に「何かをしてあげる」申し出をするときの基本フレーズは、次の4つです。

```
間接的  ↑  「～ましょうか」
           「～（さ）せてください」
           「～（さ）せていただきます」
直接的  ↓  「～ます」
```

　「～ます」「～ましょうか」をより間接的にするには「お／ご～します」「お／ご～しましょうか」のように謙譲語に変えます（例：持ちます→お持ちします）。さらに間接的にしたいときには、これらを「お／ご～いたします」「お／ご～いたしましょうか」に変えることもあります（例：お持ちします→お持ちいたします）。
　相手との上下の差が大きかったり、よく知らない相手であるほど、より間接的な表現を使うようにしましょう。「～ます」「～（さ）せていただきます」「～（さ）せてください」は、相手が困っているときのように申し出を必要としていることが明らかな場合によく使われます。「～ましょうか」は、相手が申し出を必要としているかどうかにかかわらず使うことができます。
　このようにしてできた表現のうち、よく使われるものは次のとおりです。

「何かをしてあげる」申し出の表現

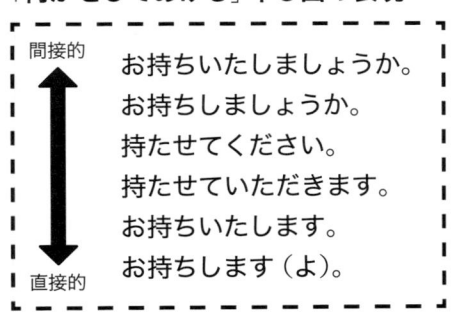

```
間接的  ↑  お持ちいたしましょうか。
           お持ちしましょうか。
           持たせてください。
           持たせていただきます。
           お持ちいたします。
直接的  ↓  お持ちします（よ）。
```

目上の人や親しくない人に「物を勧める」申し出をするときの基本フレーズは、次の4つです。

```
間接的
 ↑    「《物》(は)いかがですか」
 │    「お／ご～になりますか」
 │    「お／ご～ください」
 ↓    「《物》をどうぞ」
直接的
```

「お／ご～ください」「お／ご～になりますか」は尊敬語です。「お／ご～になりますか」は「お／ご～になりませんか」のように否定的な表現に変えるとより間接的になります（例：お飲みになりますか→お飲みになりませんか）。「いかがですか」は「いかがでしょうか」のように断定を避ける表現に変えると、より間接的な言い方になります。このようにしてできた表現のうち、よく使われるものは次のとおりです。

「物を勧める」申し出の表現

```
間接的
 ↑    お茶(は)いかがでしょうか。
 │    お茶(は)いかがですか。
 │    お茶をお飲みになりませんか。
 │    お茶を召し上がってください。※
 ↓    お茶をどうぞ。
直接的
```

※「お召し上がりください」という表現が使われることもあります。

練習

相手との関係や相手がその申し出を必要としているかどうかに注意して、申し出をする表現を考えましょう。

① あなたは、先輩の家に招かれました。夕食後、皿洗いの手伝いを申し出ます。
② あなたは、ペンを持っていない先生に自分のペンを貸すことを申し出ます。
③ あなたは、パソコンの使い方がわからなくて困っている上司の手伝いを申し出ます。

（2）対等・目下で親しい人に申し出をするとき

会話3　　トラックNo.39

状況：テオは友達のしょうたに話しかけました。
テオ………昨日突然バイトをクビになっちゃってさぁ。
しょうた……えっ、マジ？　困ってるなら俺(おれ)の働いてるカラオケ店、紹介しようか。

会話4　　トラックNo.40

状況：ジェニーは会社員です。後輩(こうはい)のえみが、部長から来客にお茶を出すように言われましたが、彼女は今手が離(はな)せません。ジェニーはえみに話しかけました。
ジェニー……私が代わりに行ってあげるよ。
えみ…………え、いいんですか。ありがとうございます！

　75～76ページで学んだように、申し出には「何かをしてあげる」申し出と「物を勧(すす)める」申し出があります。
　対等・目下で親しい人に「何かをしてあげる」申し出をするときの基本(きほん)フレーズは、次の4つです。

```
間接的 ↑ 「～ようか」
       「～てもいいよ」
       「～（さ）せて」
直接的 ↓ 「～よ」
```

　「～よ」「～（さ）せて」「～てもいいよ」は、相手が困っているときのように申し出を必要としていることが明らかな場合によく使われます。「～ようか」は、相手が申し出を必要としているかどうかにかかわらず使うことができます。「～よ」「～てもいいよ」「～ようか」は、動詞を「～てあげる」に変えると申し出が相手のためであることがより明確に伝わりますが、恩着(おんき)せがましく聞こえることもあるので注意が必要です。

このようにしてできた表現のうち、よく使われるものは次のとおりです。

「何かをしてあげる」申し出の表現

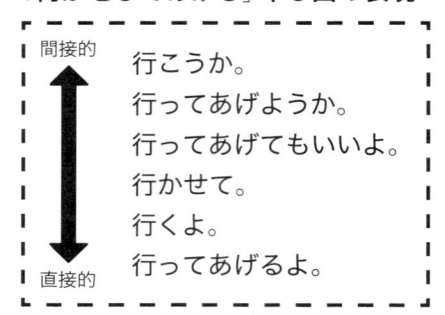

```
間接的  行こうか。
  ↑    行ってあげようか。
  │    行ってあげてもいいよ。
  │    行かせて。
  ↓    行くよ。
直接的  行ってあげるよ。
```

対等・目下で親しい人に「物を勧める」申し出をするときの基本(きほん)フレーズは、次の5つです。

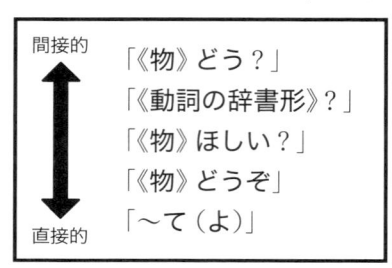

```
間接的  「《物》どう？」
  ↑    「《動詞の辞書形》？」
  │    「《物》ほしい？」
  ↓    「《物》どうぞ」
直接的  「～て（よ）」
```

「～て（よ）」と「《動詞の辞書形》？」に使われる動詞は、「飲む」「食べる」「使う」などです。「《動詞の辞書形》？」は「～ない？」のように否定形にするとより間接的になります（例：飲む？→飲まない？）。

「～て（よ）」「《物》どうぞ」は、相手がその申し出を必要としていることが明らかな場合によく使われます。「《物》ほしい？」「《動詞の辞書形》？」「《物》どう？」は、相手が申し出を必要としているかどうかにかかわらず使うことができます。

このようにしてできた表現のうち、よく使われるものは次のとおりです。

「物を勧める」申し出の表現

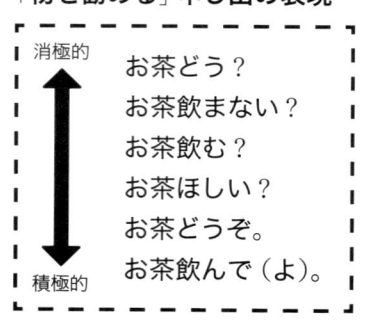

```
消極的  お茶どう？
  ↑    お茶飲まない？
  │    お茶飲む？
  │    お茶ほしい？
  ↓    お茶どうぞ。
積極的  お茶飲んで（よ）。
```

練習

相手との関係や相手がその申し出を必要としているかどうかに注意して、申し出をする表現を考えましょう。
① あなたは、家に遊びに来た友達にお茶を勧めます。
② あなたは、忙しい会社の後輩の代わりに郵便局に速達を出しに行くことを申し出ます。
③ あなたのルームメイトの部屋の電球が切れてしまいました。あなたは、ルームメイトの代わりに電球を買いに行くことを申し出ます。

2. 申し出をする表現とともに使われるストラテジー

　申し出をするときには、条件を仮定したり、申し出をする理由を説明したりすることがあります。そうすることによって押し付けを弱くしたり、相手が受け入れやすくしたりすることができるからです。

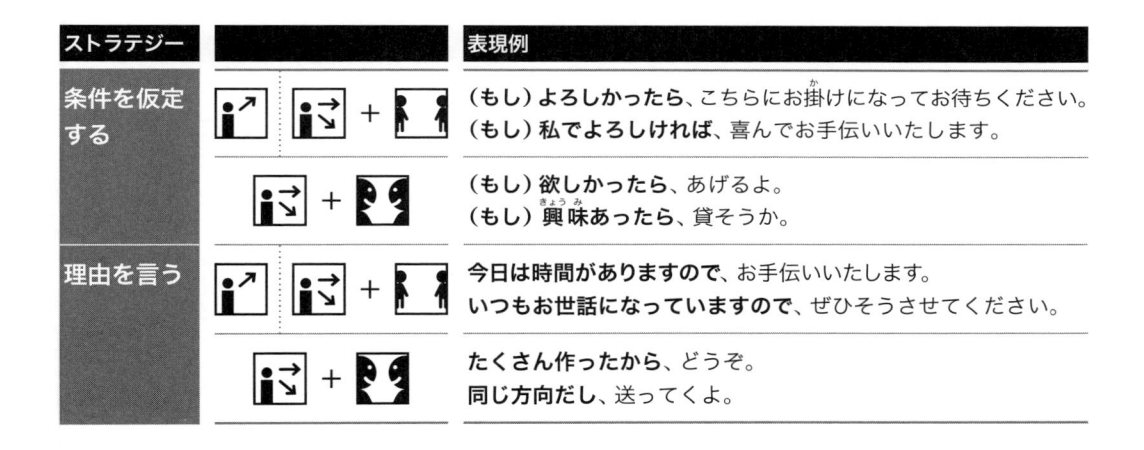

ストラテジー		表現例
条件を仮定する	↗ ↘ + 👧	（もし）よろしかったら、こちらにお掛けになってお待ちください。 （もし）私でよろしければ、喜んでお手伝いいたします。
	↗ + 👀	（もし）欲しかったら、あげるよ。 （もし）興味あったら、貸そうか。
理由を言う	↗ ↘ + 👧	今日は時間がありますので、お手伝いいたします。 いつもお世話になっていますので、ぜひそうさせてください。
	↗ + 👀	たくさん作ったから、どうぞ。 同じ方向だし、送ってくよ。

　【条件を仮定する】を使うと、その条件に合わないことを理由に断ることができるので、相手は返事がしやすくなります。また「もしその条件を満たしていたら申し出をしたい」という気持ちを伝えているので、相手が申し出を必要としているかどうかわからなくても、「～（さ）せください」「～（さ）せていただきます」「～てもいいよ」などの直接的な表現を使うことができます。【理由を言う】は、相手が申し出を受け入れても自分にとっては負担ではないことを伝えることができるので、相手は受け入れやすくなります。以下の例のように、これらのストラテジーを組み合わせて使うこともできます。

例:
クララ　　　　あっ、財布がない！
ヒルダ　　　　えっ、うそ！
クララ　　　　家に忘れてきたかも…。
ヒルダ　　　　よかったら　　　　　　　　　　　条件を仮定する
　　　　　　　　 1,000円貸してあげるよ。　　　　 申し出をする
　　　　　　　　 さっきお金おろしたばかりなんだ。　理由を言う
クララ　　　　ほんと？！　ありがとう！

まとめの練習

相手との関係や相手がその申し出を必要としているかどうかに注意し、申し出をする表現と必要なストラテジーを組み合わせて、申し出をしましょう。

① あなたは教科書を忘れた隣の席のクラスメイトに、教科書を見せることを申し出ます。

あなた：

② あなたの後輩が、道でコンタクトレンズを落としてしまいました。あなたは探すのを手伝うことを申し出ます。

あなた：

③ あなたはアルバイト先のレストランで、お客さんにお茶のおかわりを勧めます。

あなた：

話してみよう

1. 「くわしく学ぼう」の会話1～4をペアになって練習しましょう。
2. ① 次の役割や相手が必要としているかどうかに合った申し出の内容を考えて、書きましょう。

	役割		必要性の有無	申し出の内容
	申し出をする人	申し出をされる人		
例	学生と学生（親しい）		:?	アルバイトを紹介する
1	部下	上司（じょうし）	:!	
2	学生	先生	:?	
3	学生と学生（親しい）		:!	
4	同僚（どうりょう）と同僚（話したことがない）		:?	

② 上の内容で、申し出をする表現とほかに必要なストラテジーを考えて、下の欄（らん）に書きましょう。

例	困ってるなら俺（おれ）の働いてるカラオケ店、紹介しようか。
1	
2	
3	
4	

③ ペアになって、①の各場面で②で書いた表現を使って申し出をしてください。相手の人はそれに対して答えてください。その後、役割を交代して、同様に練習しましょう。

会話のヒント	「〜てあげる」を使った申し出の注意点

　「〜てあげる」を使った表現を使うと、恩着せがましく聞こえることがあります。例えば、「迎えに行ってあげようか。」と言われたら、「（私には何も得にはならないけれど）あなたのために迎えに行くのだ」というメッセージが含まれて聞こえることがあるのです。その理由は、「〜てあげる」は、相手にとってよいこと（利益）を与えるという意味を持つからです。そのため、これらの表現は目下の人や対等な立場でとても親しい人だけに使ったほうが安全です。

　目上の人に対しては、相手に利益を与えることをことばにすること自体が失礼で許されないので、「〜てあげる」を使うことはできません。たとえ、尊敬語「〜てさしあげる」に変えても同じです。目上の人に申し出をするときには、敬意を表すつもりで「迎えに行ってさしあげましょうか。」などと言わないように気をつけてください。

セクション2　申し出に答える

　申し出をされたときは、受け入れても相手に負担をかけることになりますし、断ると厚意（こうい）で申し出てくれた相手の気持ちを害してしまうかもしれません。どちらの場合も、簡単な返答で済ますことができないことが多いのです。このセクションでは、申し出をされたときの答え方として、どのようなストラテジーや表現が使えるのかを学びましょう。

■ 聞いてみよう　🎧 トラックNo.41〜43

① 短い会話を3つ聞いて、下の表を完成させましょう。まず上下関係を判断し、目上でない場合は親疎（しんそ）関係も選択（せんたく）してください。返事については、下のa〜cの選択肢（せんたくし）から選びましょう。

a……受け入れた　b……断った　c……どちらでもない

	どんな人から申し出をされましたか	どんな申し出をされましたか	申し出を受け入れましたか
会話1	↗ or → ／ 👧 or 👥		a b c
会話2	↗ or → ／ 👧 or 👥		a b c
会話3	↗ or → ／ 👧 or 👥		a b c

② もう一度3つの会話を聞いて、申し出に答える表現を記入しましょう。

	使われている表現
会話1	
会話2	
会話3	

③ ①の表と②の表現を見て、会話の相手や申し出を受け入れるかどうかによって、答え方にどのような違いがあるかクラスで話し合いましょう。

くわしく学ぼう

1. 申し出を受け入れるとき

会話1 トラックNo.41

状況：アグスが期末試験の日に消しゴムを忘れてしまい困っていると、隣の席のさおりが話しかけてきました。

さおり………私、消しゴム2個持ってるから、1個貸そっか。
アグス………えっ、ありがとう！ 助かる！

申し出を受け入れるときは、次のようなストラテジーがよく使われます。

ストラテジー		表現例
謝る		申し訳ありません。 すみません。
		ごめん（ね）。 悪いね。〈主に男性〉
喜びを伝える		うれしいです。
		うれしい。
感謝する		お気遣いいただきまして恐れ入ります。 ありがとうございます。
		ありがとう。 助かる。
頼む		ではおことばに甘えて（お願いします）。 ではそうしていただけますか。
		お願い。 じゃあ、よろしく（ね）。

| 強調する | ↗ ↘ + 👥 | ええ、ぜひ。 |
| | ↗ + 👀 | 食べる食べる！
使う使う！ |

練習

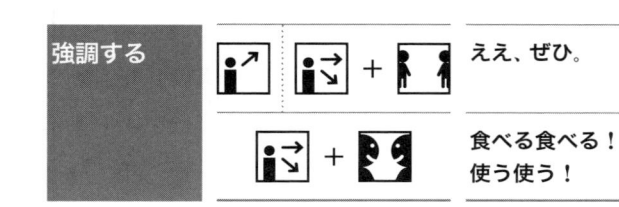

相手との関係に注意して、申し出を受け入れる表現を考えましょう。
① 日本人の友達が、あなたの日本語の宿題を見てくれると言いました。
② あなたはくしゃみが止まりません。友達がティッシュをくれると言いました。
③ 空港で出迎えてくれたホームステイ先のお父さんが、あなたのスーツケースを持ってくれると言いました。

2. 申し出を断るとき

会話2 ↗ トラックNo.42

状況：スンジュンは、友達の家に遊びに来ています。友達の母親が部屋に入ってきました。

友達の母親……コーヒーのおかわりいかが？
スンジュン……あっ、もう帰りますので、どうぞお気遣いなく。

申し出を断るときは、次のようなストラテジーがよく使われます。

ストラテジー		表現例
感謝する	↗ ↘ + 👥	お心遣いはありがたいんですが…。 お気持ちは嬉しいんですが…。
	↗ + 👀	気持ちは嬉しいんだけど…。 ありがとう、でも大丈夫。
あいまいに断る	↗ ↘ + 👥	甘いものはちょっと…。 せっかくですが…。
	↗ + 👀	今はちょっと…。 せっかくだけど…。

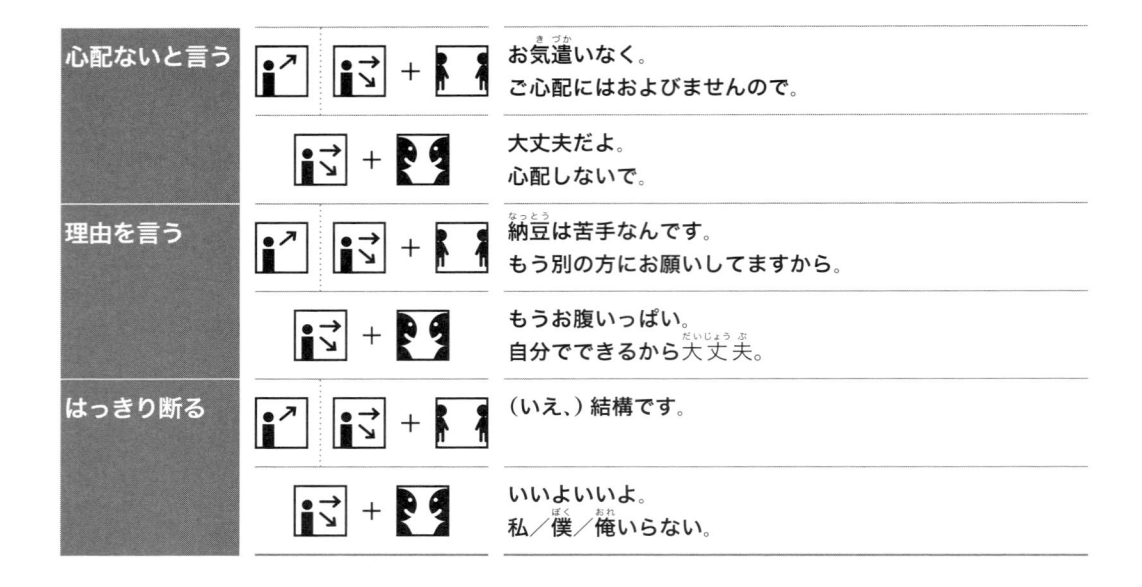

心配ないと言う	↗ ↕ + 👤		お気遣いなく。 ご心配にはおよびませんので。
	↕ + 👥		大丈夫だよ。 心配しないで。
理由を言う	↗ ↕ + 👤		納豆は苦手なんです。 もう別の方にお願いしてますから。
	↕ + 👥		もうお腹いっぱい。 自分でできるから大丈夫。
はっきり断る	↗ ↕ + 👤		(いえ、) 結構です。
	↕ + 👥		いいよいいよ。 私／僕／俺いらない。

　【感謝する】を使うときにはその後に「〜ですが」「〜けど」「でも」などをつけるようにしましょう。【感謝する】だけだと、受け入れているように聞こえてしまうことがあるからです。【理由を言う】を使うときには、具体的な理由をくわしく説明する必要はありません。これらのストラテジーを組み合わせて使うこともできます。以下の例を見てみましょう。

例:
先輩 ……………… 肉まんたくさん買ってきちゃったから、1個食べない？
後輩 ……………… <u>ありがとうございます、でも</u>　　　　　感謝する
　　　　　　　　 <u>さっきお昼を食べたばっかりなので。</u>　　　理由を言う

練習

相手との関係に注意して、申し出を断る表現を考えましょう。
① あなたは図書館から本を借りました。そのことを知らずに先生が同じ本を貸してくれると言いました。
② あなたは足を骨折しています。バスの中で、見知らぬ人に席をゆずると言われました。
③ あなたは急にお腹が痛くなりました。友達が病院に連れて行ってくれると言いました。

3. すぐには答えられないとき

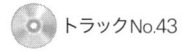

会話3 トラックNo.43

状況：ベルナは会社で残業をしています。上司の島田課長に話しかけられました。

島田…………残業お疲れ様。もう遅いし、うちまでタクシーで送ってってあげるわよ。
ベルナ………え、でもご迷惑じゃありませんか。

　申し出を受け入れるか断るか決める前に、次のようなストラテジーを使って相手の意思や都合を確認することもあります。また、遠慮していることを伝えるためにこれらのストラテジーを使うこともあります。

ストラテジー		表現例
確認する	↗↗ + 👥	ご迷惑じゃありませんか。 よろしいんですか。
	↗ + 👥	でも、大丈夫？ えっ、いいの？
謝る	↗↗ + 👥	でも、申し訳ないですし…。
	↗ + 👥	でも、悪いし…。

練習

相手との関係に注意して、すぐには答えない表現を考えましょう。
① 仕事の後、先輩があなたに夕食をごちそうしてくれると言いました。
② 隣に住んでいる人があなたに海外旅行のお土産をくれると言いました。
③ あなたは友達の家に来ています。友達が、帰りに駅まで車で送ってくれると言いました。

まとめの練習

相手との関係やその申し出の必要性を考えて、どのような返事をするか決め、必要なストラテジーを組み合わせて答えましょう。

① あなたは日本に来たばかりです。ホームステイ先のお母さんが、あなたに言いました。
お母さん：もしよかったら、明日、市内観光に連れて行ってあげるけど、どう？
あなた：

② あなたは授業の内容がよくわからなかったので、先生に質問すると、先生が言いました。
　先生：一人で勉強するのが大変だったら、補習をしてあげようか。
あなた：

③ あなたは飲み会で遅くなり、終電に間に合いませんでした。近くに住んでいる友達が言いました。
　友達：うち、泊まってく？
あなた：

話してみよう

1. 「くわしく学ぼう」の会話1〜3をペアになって練習しましょう。
2. 次の1〜4の場面にもとづいて、短い会話をしましょう。

	役割		申し出の内容
	申し出をする人	申し出をされる人	
1	先生	学生	先生が書いた本をあげる
2	会社員	取引先の人	相手の会社まで車で送る
3	学生と学生（親しい）		DVDを貸す
4	同僚と同僚（親しい）		仕事を手伝う

会話のヒント	申し出を断るときに理由は必要？

　　ユニット2　依頼する、ユニット4　誘うで見たように、依頼や誘いを断るときには理由を説明します。しかし、申し出を断るときは理由を説明せずに簡単な返事だけで済ませても、それほど失礼にはなりません。この違いは、依頼・誘い・申し出の内容が「誰のために行われるか」を考えることによって説明することができます。依頼の場合、依頼の内容は依頼した人のためになることです。誘いの場合は、誘った人のためにも誘われた人のためにもなります。ですから、依頼や誘いを断ることは依頼した人や誘った人のためにならないので、それでも断らなければならない理由をはっきりと説明して相手の気持ちに配慮を示す必要があるわけです。一方、申し出の場合は、その内容は申し出をされた人のためになることですから、たとえ断られても申し出をした人にとっては大して問題があるわけではありません。そのため、依頼や誘いの場合ほど相手に配慮せずに断ることができるわけです。

セクション3　総合練習

　最後に、「申し出をする－申し出に答える」やり取りを含んだ長い会話を聞いたり、話したりする練習をしましょう。

■ 聞いてみよう

1. 会話を聞いて、次の問題に答えましょう。　トラックNo.44
① どのような申し出をしましたか。

[1]

② 申し出をされた人は、どうしましたか。

③ 会話のスクリプト（157ページ）を見て、二人の関係や申し出が必要かどうかに注意しながら、「申し出をする－申し出に答える」で使われた表現を確認しましょう。

2. 会話を聞いて、次の問題に答えましょう。　トラックNo.45
① どのような申し出をしましたか。

[1]
[2]
[3]

② 申し出をされた人は、どうしましたか。

③ 会話のスクリプト（158ページ）を見て、二人の関係や申し出が必要かどうかに注意しながら、「申し出をする－申し出に答える」で使われた表現を確認しましょう。

話してみよう

このユニットで学んだことを活用して、ロールプレイをしましょう。

1.
① ペアを組んで、一人はAの役、もう一人はBの役をしてください。Aの役の人は173ページのロールカード1Aを、Bの役の人は174ページのロールカード1Bを見てください。(相手のカードは見ないでください。)

② Aの役の人はBの役の人に申し出をします。Aの役の人から話し始め、ロールカードに書かれた情報をできるだけ多く取り入れて、やり取りを続けてください。

2.
① ペアを組んで、一人はAの役、もう一人はBの役をしてください。Aの役の人は173ページのロールカード2Aを、Bの役の人は174ページのロールカード2Bを見てください。(相手のカードは見ないでください。)

② Aの役の人はBの役の人に申し出をします。Aの役の人から話し始め、ロールカードに書かれた情報をできるだけ多く取り入れて、やり取りを続けてください。

ユニット6　助言する

セクション1　助言する

　学校や会社、地域社会などで、誰かに助言をすることもあるでしょう。相手よりも自分の方が知識や経験があることについては、助言を求められることも多いかもしれません。助言は相手のためになるようにと思って行う行為ですが、言い方を間違えると相手を嫌な気持ちにさせてしまうこともあります。このセクションでは、押し付けがましくならないように助言する方法を学びましょう。

■ 聞いてみよう　トラックNo.46～49

① 短い会話を4つ聞いて、下の表を完成させましょう。まず上下関係を判断し、目上でない場合は親疎関係も選択してください。

	どんな人に助言しましたか	どんな助言をしましたか	相手が助言を必要としていると知っていましたか
会話1	↑ or → 　　 or		☺! or 🙂?
会話2	↑ or → 　　 or		☺! or 🙂?
会話3	↑ or → 　　 or		☺! or 🙂?
会話4	↑ or → 　　 or		☺! or 🙂?

② もう一度4つの会話を聞いて、助言する表現を記入しましょう。

	使われている表現
会話1	
会話2	
会話3	
会話4	

③ ①の表と②の表現を見て、会話の相手と相手が助言を必要としていると知っていたかどうかによって、表現にどのような違いがあるかクラスで話し合いましょう。

くわしく学ぼう

1. 助言する表現
(1) 目上の人や親しくない人に助言するとき

会話1 トラックNo.46

状況：ユジンは駅で切符を買おうとしています。ユジンの前の人が券売機にお金を入れたのに切符が出てこないようです。その人は振り向いてユジンに話しかけました。

知らない人……あの、すみません。切符が出てこないみたいなんですけど…。

ユジン……………一度取り消しボタンを押してやり直してみてはいかがですか。

会話2 トラックNo.47

状況：グレッグは会社員です。先輩の長倉に話しかけられました。

長倉……………この携帯、充電してもすぐ電池がなくなっちゃうんだけど、壊れてるのかしら？

グレッグ……だったら、電池パックを交換したほうがいいかもしれないですね。

　目上の人に助言することはあまりありませんが、相手が明らかに困っているときや助言を求められたときに相手よりも自分の方がよく知っていることについては助言をすることができます。目上の人や親しくない人に助言をするときの基本フレーズは、次の2つです。

```
間接的
 ↑    「～てはどうですか」
 ↓    「～たほうがいいです」
直接的
```

基本フレーズをより間接的な形にするには、次のような方法があります。
・丁寧語に変える　　　例）どう　→　いかが
・断定を避ける表現に変える
　　　　　　例）交換したほうがいいです　→　交換したほうがいいかもしれないです
　　　　　　　　交換したほうがいいです　→　交換したほうがいいと思います
　　　　　　　　交換してはどうですか　　→　交換してはどうでしょうか
・相手の動作を表す動詞を尊敬語に変える
　　　　　　例）交換したほうが　→　交換されたほうが
・相手の動作を表す動詞を「～てみる」に変える
　　　　　　例）交換しては　→　交換してみては

　相手との上下の差が大きかったり、よく知らない相手であるほど、より間接的な表現が使われます。反対に、助言の内容に自信があるときや強く勧めたいときほど、より直接的な言い方になります。
　このようにしてできた表現のうち、よく使われるものは次のとおりです。

```
間接的
 ↑    交換されてみてはいかがかと思うのですが。
 │    交換されてはいかがでしょう（か）。
 │    交換されてはどうですか。
 │    交換したほうがいいかもしれないです（ね）。
 │    交換したほうがいいと思います（が）。
 ↓    交換したほうがいいです（よ）。
直接的
```

練習

相手との関係、相手がその助言を必要としているか、助言の内容に自信があるかに注意して、助言する表現を考えましょう。
① あなたは、あなたの国に初めて旅行に行く上司に、どこを訪れたらよいか助言します。
② あなたは、あなたの国の料理を食べたいと言う先生に、どの店に行けばよいか助言します。
③ あなたの先輩が、外国人に初級の日本語を教えることになりました。あなたが日本語を勉強した経験から、先輩にどんな教科書を使えばよいか助言します。

（2）対等・目下で親しい人に助言するとき

会話3 トラックNo.48

状況：ライラは、友達のあさみと電車で渋谷に遊びに来ました。店で買い物をしているときに、突然あさみが言いました。

あさみ………あっ！ さっきの電車に傘忘れてきちゃった！ どうしよう。

ライラ………「忘れものセンター」に電話してみたら？

会話4 トラックNo.49

状況：シーミンは大学の後輩のたいぞうと話しています。たいぞうが言いました。

たいぞう……駅前のラーメン屋が前から気になってるんですけど、いつ行っても閉まってるんですよね。まったく、商売する気あるのかなぁ。

シーミン……あー、あの店ならスープがなくなりしだい閉店しちゃうから、午後2時ごろまでに行かなきゃだめだよ。

　目上の人や親しくない人への場合と違い、対等・目下で親しい人には助言の内容に関する知識があるかどうかにかかわらず助言をすることができます。基本フレーズは、次の4つです。

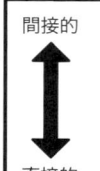

```
間接的
 ↑    「～たら（どう）？」
 │    「～ば？」
 │    「～たほうがいいよ」
 ↓    「～な（よ）」
直接的
```

基本フレーズをより間接的な形にするには、次のような方法があります。
- 断定を避ける表現に変える
  　　　例）電話したほうがいいよ　→　電話したほうがいいかもしれないよ
  　　　　　電話したほうがいいよ　→　電話したほうがいいと思うよ
- 否定疑問文にする　例）電話したほうがいいよ　→　電話したほうがよくない？
  　　　　　電話したほうがいいよ　→　電話したほうがいいんじゃない？
- 相手の動作を表す動詞を「～てみる」に変える
  　　　例）電話したら？　→　電話してみたら？
  　　　電話すれば？　→　電話してみれば？

　相手が助言を必要としているのが明らかなとき、助言の内容に自信があるとき、強く勧めたいときほど、より直接的な言い方をします。ただし、「～な(よ)」は非常に押し付けが強いので、絶対に自分の助言通りにしたほうがよいと強く信じている場合や助言を受け入れてくれない相手を説得するとき以外には使わないほうがいいでしょう。
　このようにしてできた表現のうち、よく使われるものは次のとおりです。

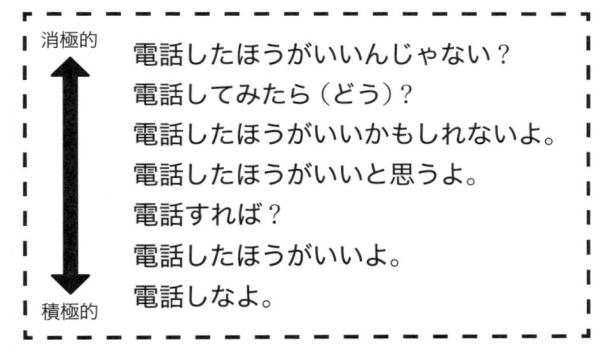

```
消極的　　電話したほうがいいんじゃない？
　↑　　　電話してみたら（どう）？
　│　　　電話したほうがいいかもしれないよ。
　│　　　電話したほうがいいと思うよ。
　│　　　電話すれば？
　↓　　　電話したほうがいいよ。
積極的　　電話しなよ。
```

練習

相手との関係、相手がその助言を必要としているか、助言の内容に自信があるかに注意して、助言する表現を考えましょう。

① あなたは、最近日本にやってきたばかりの留学生に、会話の勉強のために、どんなテレビ番組を見たらよいか助言します。
② あなたは会社にいます。具合が悪そうな同僚に助言します。
③ あなたは、家電売り場でどのパソコンを買おうか迷っている友達に助言します。

2. 助言する表現とともに使われるストラテジー

　助言をするときには、助言する表現とともに次のようなストラテジーを使うことができます。これらのストラテジーのうち、【理由を言う】【情報を伝える】【よい結果を言う】【悪い結果を言う】は相手が助言を受け入れやすくするため、【条件を仮定する】と【遠慮を表す】は押し付けを弱めるために使われます。

ストラテジー		表現例
理由を言う	↑ + ↗ + 👧	電車はどうでしょうか。安いですし。 故障しているかもしれないので、使わないほうがいいですよ。
	↗ + 👥	楽だし、タクシーにすれば？ 午後から雨だから、傘持っていったら？
情報を伝える	↑ + ↗ + 👧	地下鉄が事故で遅れているそうです。 それならネットで安く手に入りますよ。
	↗ + 👥	その本なら駅前の本屋に売ってたよ。 おいしいラーメン屋だったら、金田さんがくわしいよ。
よい結果を言う	↑ + ↗ + 👧	タクシーをお使いになれば、時間に間に合うと思います。 平日の夜に行けば、並ばないで入れますよ。
	↗ + 👥	今日頑張れば、あしたは楽になるよ。 みかんを食べると、風邪を引かないよ。
悪い結果を言う	↑ + ↗ + 👧	早く予約しないと、売り切れてしまうかもしれません。 このまま放っておくと、大変なことになってしまいます。
	↗ + 👥	もっと勉強しないと、試験受からないよ。 甘いものを控えないと、太っちゃうよ。
条件を仮定する	↑ + ↗ + 👧	(もし) よろしければ、一度行かれてはいかがでしょうか。 (もし) お急ぎなら、タクシーはどうですか。
	↗ + 👥	私／僕／俺なら、バス使わないで歩くけど。※ (もし) 迷ってるなら、両方買っちゃえば？
遠慮を表す	↑ + ↗ + 👧	差し出がましいようですが、早退されてはいかがですか。 余計なことかもしれませんが、急行に乗ると早いと思います。
	↗ + 👥	余計なお世話かもしれないけど、あいつには気を付けなよ。 おせっかいかもしれないけど、もっと新聞読んだら？

※【条件を仮定する】の「私／僕／俺なら」は目上の人に使うことはできません。自分を目上の人と同じ立場に置くことになるので、失礼になるからです。

これらのストラテジーは、いろいろと組み合わせて使うことができます。例1を見てみましょう。

例1:
バーバラ……………あーあ。なんであんなやつ好きになっちゃったんだろう。
まりえ………………いっそのこと別れちゃいなよ。　　　　　　　助言する
　　　　　　　　　　私ならそうする。　　　　　　　　　　　　　条件を仮定する
　　　　　　　　　　このまま付き合ってたら、絶対後悔するよ。　悪い結果を言う
　　　　　　　　　　余計なお世話かもしれないけどさー。　　　　遠慮を表す
　　　　　　　　　　もっとほかにいい人がすぐに見つかるよ！　　よい結果を言う

また、助言する表現を使う代わりに、【情報を伝える】や【よい結果を言う】【悪い結果を言う】を使って助言をほのめかすこともできます。以下の例を見てみましょう。

例2:
お母さん……………急いで洗濯物干さなきゃ！
みどり………………あ、でも今日は午後から雨みたいよ。　　　　情報を伝える
お母さん……………そうなの？！　じゃあ乾燥機にするわ。

例3:
あやの………………この味どう？
アニタ………………生クリームを入れると、もっと美味しくなるよ。　よい結果を言う

まとめの練習

相手との関係、相手がその助言を必要としているか、助言の内容に自信があるかに注意し、助言する表現と必要なストラテジーを組み合わせて、助言をしましょう。

① 会社の先輩(せんぱい)が週末にあなたの国の料理が食べられるレストランに行こうとしています。あなたはそのレストランが週末にはとても混んでいることを知っているので、先輩に助言します。

あなた：

② あなたは、天気予報で午後から雨が降ることを知りました。出かけようとしているルームメイトに助言します。

あなた：

③ ホームステイ先のお母さんがあなたの国の料理を作っています。あなたは料理の味見をして助言します。

あなた：

話してみよう

1. 「くわしく学ぼう」の会話を1〜4ペアになって練習しましょう。
2. ① 次の役割や相手が必要としているかどうかに合った助言の内容を考えて、書きましょう。

	役割		必要性の有無	助言をする内容
	助言する人	助言される人		
例	後輩	先輩	☺!	携帯電話の電池パックを交換する
1	学生	先生	😐?	
2	部下	上司	☺!	
3	学生と学生（親しい）		😐?	
4	同僚と同僚（あまり親しくない）		☺!	

② 上の内容で、助言する表現とほかに必要なストラテジーを考えて、下の欄に書きましょう。

例	電池がすぐなくなってしまうようでしたら、電池パックを交換したほうがいいかもしれないですね。
1	
2	
3	
4	

③ ペアになって、①の各場面で②で書いた表現を使って助言してください。相手の人はそれに対して答えてください。その後、役割を交代して、同様に練習しましょう。

会話のヒント	「余計なおせっかい」

　相手のためを思って、つい強く助言したくなることもあるでしょう。しかし、強くて積極的な助言には、「あなたは自分で何をすべきかわかっていない」とか「あなたのやり方は間違っている」というメッセージが含まれてしまうので、相手を嫌な気持ちにしてしまうこともあるかもしれません。

　そのため、目上の人に助言をするときには特に注意が必要です。相手から助言を求められたときは助言をしても問題ありませんが、そうでない場合には、助言をする事柄に関して明らかに自分のほうが相手よりも知識があるときを除き、助言はしないようにしたほうが賢明です。助言をすると決めた場合にも、直接的な言い方は避けましょう。

　対等・目下の人には、助言の内容に関する知識があるかどうかにかかわらず様々な場面で助言をすることができます。しかし、自分の価値観や習慣について口出しされることを嫌がる人もたくさんいます。下の会話を見てみましょう。

例:
伯母さん……りかちゃん今いくつだっけ？
りか……28歳です。
伯母さん……まぁ。まだ結婚の予定ないの？
りか……はぁ。
伯母さん……早く結婚しなさいよ！　もしよかったら、私がお見合いの相手を探してあげるわよ。
りか……気持ちは嬉しいんですが、自分で探しますので結構です。

　伯母さんはりかに、早く結婚したほうがよいと助言をしました。しかし、結婚するかしないか、何歳ぐらいで結婚するかは、りかの価値観・人生観にかかわる個人的な問題です。りかは伯母さんからの助言を押し付けがましくて迷惑だと感じ、受け入れませんでした。このように相手がまったく必要としていない助言をしてしまうことを「余計なおせっかい」をすると言います。

セクション2　　助言に答える

　　助言にはとても役に立つありがたいものから、的外れなものや余計なおせっかいなものまでいろいろあるでしょう。受け入れたくない助言であっても、相手は自分のためを思って言ってくれたのですから、相手の気持ちに配慮した断り方をする必要があります。このセクションでは、助言を受けたときの答え方として、どのようなストラテジーや表現が使えるのかを学びましょう。

■ 聞いてみよう　トラックNo.50～52

① 短い会話を3つ聞いて、下の表を完成させましょう。まず上下関係を判断し、目上でない場合は親疎関係も選択してください。返事については、下のa～cの選択肢から選びましょう。

a……受け入れた　　b……受け入れなかった　　c……どちらでもない

	どんな人に助言されましたか	どんな助言をされましたか	助言を受け入れましたか
会話1	↗ or ↘　　人 or 鬼		a b c
会話2	↗ or ↘　　人 or 鬼		a b c
会話3	↗ or ↘　　人 or 鬼		a b c

② もう一度3つの会話を聞いて、助言に答える表現を記入しましょう。

	使われている表現
会話1	
会話2	
会話3	

③ ①の表と②の表現を見て、会話の相手や助言を受け入れるかどうかによって、答え方にどのような違いがあるかクラスで話し合いましょう。

くわしく学ぼう

1. 助言を受け入れるとき

会話1 トラックNo.50

状況：ミハエルは、日本語の先生に話しかけられました。
先生………ミハエルくんは、漢字が少し苦手なようですね。日本語の本をもっと読むようにしたらどうですか。
ミハエル…はい、そうします。どうもありがとうございます。

助言を受け入れる場合には、次のようなストラテジーがよく使われます。

ストラテジー		表現例
感謝する	↗↗ + 👤	ご心配いただきありがとうございます。 ご親切にどうも（ありがとうございます）。
	↗ + 😀	アドバイスありがとね。 心配してくれてありがとう。
同意する	↗↗ + 👤	おっしゃる通りです（ね）。 そうです（よ）ね。
	↗ + 😀	私／僕／俺もそう思う。 そうだね。
理由を言う	↗↗ + 👤	そうすれば漢字がたくさん覚えられそうですね。 どうしたらいいかわからなくて困っていたんです。
	↗ + 😀	そうすれば終電に間に合うよね。 私／僕／俺もそうしなくちゃと思ってたんだ。
承知する	↗↗ + 👤	そう（いた）します。 わかりました。
	↗ + 😀	そうするよ。 わかった。

これらのストラテジーを組み合わせて使うこともできます。次のページの例を見てみましょう。

例:
課長……………………もう遅いから、残りは明日にしたら？
ボニー…………………そうですね。
　　　　　　　　　　そうします。
　　　　　　　　　　ご心配いただきありがとうございます。

同意する
承知（しょうち）する
感謝（かんしゃ）する

練習

相手との関係に注意して、助言を受け入れる表現を考えましょう。
① あなたは、先生から日本語で日記を書いたほうがよいと助言を受けました。
② あなたは、転んで頭を打ってしまいました。友達から病院に行くように助言を受けました。
③ あなたは、医者からお酒の量を減らすように助言を受けました。

2. 助言を受け入れないとき

会話2　トラックNo.51

状況：ヤナは飲み会に来ています。酔っぱらってしまったヤナを心配して、友達のしほが話しかけました。
しほ……………ちょっとヤナ、飲み過ぎ！　もうそのくらいにしときなよ。
ヤナ……………ほっといてよ！　今日は飲まずにはいられないの！

　日本語では、助言を受け入れない場合でもそのことをはっきりそのまま伝えるということはあまりありません。それは、相手の厚意（こうい）をはっきりとことばで断ることは失礼になるからです。特に目上の人から助言を受けたときには、ことばにして断ることは許されません。その代わりに、ことば上では受け入れたり（例：そうですねぇ。）、はっきり答えなかったり（例：そう思われますか。）します。ただし、どうしても受け入れられないことを伝えたいときには、次のようなストラテジーを使うこともできます。

ストラテジー		表現例
理由を言う	↗ ↘ + 👥	あー、でもちょっと忙しくて…。 親がどうしても許してくれないんですよね。
	↘ + 👥	時間がないから。 自分でなんとかできるから。

謝る	↗ ↘ + 人		申し訳ありません。 すみません。
	↘ + 人		ごめん（ね）。 悪いけど、やめとくよ。
口を出さないように言う	↗ ↘ + 人		どうぞお気遣いなさらないでください。 ご心配にはおよびませんので。
	↘ + 人		ほっといてくれない？ 心配しないで。
あいまいに断る	↗ ↘ + 人		どうですかねぇ…。 せっかくですが…。
	↘ + 人		どうかなぁ…。 せっかくだけど…。
はっきり断る	↘ + 人		（いえ、）結構ですから。
	↘ + 人		そんなの無理（だよ）。 私／僕／俺はそうは思わない。

また、助言を受け入れないときにも、**1. 助言を受け入れるとき**（104ページ）で出てきた【同意する】【感謝する】を合わせて使うと、相手の気持ちへの配慮を示すことができ、やわらかく丁寧な断りになります。その場合には、【同意する】【感謝する】を使ってから助言を受け入れないストラテジーを使うことが多いです。以下の例を見てみましょう。

例：

先輩……………そんなに痛むんなら、すぐに歯医者行ったほうがいいよ。
たくみ……………そうですね。　　　　　　　　　　　　　　　　　同意する
　　　　　　　心配してくださってありがとうございます。　　　感謝する
　　　　　　　でも今日はちょっと忙しくて…。　　　　　　　　理由を言う

練習

相手との関係に注意して、助言を受け入れない表現を考えましょう。
① あなたは、友達に鍼治療をするように助言を受けました。
② あなたは、風邪で体調が悪いです。同僚から早退するように助言を受けました。
③ あなたは、ホームステイ先のお父さんから、日本人の恋人を作ると会話が上手になるよと助言を受けました。

3. はっきり答えたくないとき

会話3 トラックNo.52

状況:留学生のローラと友達のひできがローラのアルバイト探しについて話しています。

ひでき………えっ、深夜のバイトなの？ ローラ、それは朝起きられなくなるから、絶対やめたほうがいいよ！

ローラ………えー、そうかなぁ？ でも時給いいから迷うなー。

はっきり答えたくないときには、次のようなストラテジーがよく使われます。

ストラテジー		表現例
確認する	+	そう思われますか。 そのほうがいいですかね。
	+	そう（思う）？ （やっぱ，）そうしたほうがいい（と思う）？
返事をのばす	+	よく考えてみます。 検討してみます。
	+	様子見てからにするよ。 できるかどうか考えてみるよ。
迷っていることを表す	+	うーん、迷いますね。 そうですかねぇ？
	+	うーん、どうしようかなぁ。 そうかなぁ？

　これらのストラテジーを使うことによって、助言を受け入れるか、受け入れないかをその場ではっきりと返答しなくても済みます。また、**1. 助言を受け入れるとき**（104ページ）で学んだ【同意する】【感謝する】を【返事をのばす】と組み合わせて、助言を受け入れないことをほのめかすこともできます。次ページの例を見てみましょう。

例:
モナ……………似合うと思うからショートカットにしてみたら？
れいな……………そうだね。　　　　　　　　　　　　同意する
　　　　　　　考えてみる。　　　　　　　　　　　返事をのばす

練習

相手との関係に注意して、はっきり答えない表現を考えましょう。
① あなたは、日本語の先生から日本語のスピーチコンテストに出場したほうがよいと助言を受けました。
② あなたは、友達から給料が高いアルバイトなら、警備員(けいびいん)がよいと助言を受けました。
③ あなたは、上司(じょうし)から毎朝ジョギングしたほうがよいと助言を受けました。

まとめの練習

相手との関係やその助言の必要性を考えて、どのような返事をするか決め、必要なストラテジーを組み合わせて答えましょう。

① あなたは引っ越してきたばかりです。家の前で、隣(となり)に住んでいる人に会いました。
隣の人：ここは駅から遠いから、自転車を買ったほうがいいですよ。
あなた：

② あなたは風邪(かぜ)を引いていますが、仕事が終わらないので残業しています。同僚から話しかけられました。
同僚(どうりょう)：顔色悪いから、今日はもう帰りなよ。
あなた：

③ あなたが夜中に試験勉強をしていると、ホームステイ先のお母さんが言いました。
お母さん：あした、早いんでしょ？　もう寝たら？
あなた：

話してみよう

1. 「くわしく学ぼう」の会話1～3をペアになって練習しましょう。
2. 次の1～4の場面にもとづいて、短い会話をしましょう。

	役割		助言する内容
	助言する人	助言される人	
1	先生	学生	レポートの書き方
2	上司	部下	よいプレゼンテーションの仕方
3	同僚と同僚（親しい）		旅行先で注意すること
4	学生と学生（親しい）		面接で注意すること

会話のヒント	「よく考えてみます」と言ったら本当に考える？

　　　【返事をのばす】ストラテジーの表現「考えてみます」「考えておきます」「検討してみます」などは、助言を受け入れないことをほのめかすときにも使えることを学びましたが、「考える」と言っているのに断っているなんて変じゃないかと思った人もいるでしょう。しかし、日本の文化では、こうした表現が「断り」として慣習的に使われています。なぜならば、はっきりと断ることで相手の面子をつぶしてしまう危険を避けることができるからです。

　　こうした表現は依頼を断るときにも使われることが多く、「考えてみます」などのほかにも、改まった場面では「善処します」という表現が使われることもあります。これは英語に直訳すると"see what I can do"または"do what is best under the circumstances"という意味ですが、一般的には断りをほのめかすときに使われます。昔、日本の首相がアメリカの大統領からの依頼を断るつもりで「善処します。」と返事したところ、"I'll do my best."と通訳されてしまいました。その後日本側が何もしていないと知った大統領は、首相が嘘をついたと怒ってしまったそうです。怖い話ですね。

会話のヒント	助言をされた後はどうするの？

　目上の人から助言をされて、しばらくしてからその人に会ったときは、報告やお礼をしたほうがよいでしょう。助言をしてくれた人は、その後どうなったのか、助言が役に立ったのかどうか、気にしているかもしれません。後でどうなったか報告をすることで、助言をしてくれた相手に対してもう一度感謝の気持ちを伝えることができます。以下の例を見てください。

例1:
以前カイルは漢字の勉強の仕方について、日本語の先生に助言をしてもらいました。
カイル……………先日はありがとうございました。だいぶ漢字が書けるようになりました。
先生………………そう、それはよかったね。その調子でがんばってね。

例2:
先週ジュリアが風邪（かぜ）をひいていたとき、アルバイト先の先輩（せんぱい）が身体によい食べ物を教えてくれました。
ジュリア…………この間はお気遣（きづか）いいただきましてありがとうございました。もう体調もすっかりよくなりました。
先輩………………そう。でも、治りかけが大事だから無理しないでね。

例3:
先日ジョバンニは京都旅行に行く前に、京都出身のホストファミリーのお母さんに、どこを観光したらよいか助言をしてもらいました。
ジョバンニ………この前はありがとうございました。おかげさまで京都旅行を楽しく過ごせました。
お母さん…………よかったわねえ。仁和寺（にんなじ）のお庭はきれいだったでしょ？

セクション3　総合練習

　最後に、「助言する－助言に答える」やり取りを含んだ長い会話を聞いたり、話したりする練習をしましょう。

■ 聞いてみよう

1. 会話を聞いて、次の問題に答えましょう。　🔘 トラックNo.53

① どのような助言をしましたか。

```
[1]

[2]
```

② 助言された人は、どうしましたか。

③ 会話のスクリプト（158ページ）を見て、二人の関係や助言が必要かどうかに注意しながら、「助言する－助言に答える」で使われた表現を確認しましょう。

2. 会話を聞いて、次の問題に答えましょう。　🔘 トラックNo.54

① どのような助言をしましたか。

```
[1]

[2]
```

② 助言された人は、どうしましたか。

③ 会話のスクリプト（159ページ）を見て、二人の関係や助言が必要かどうかに注意しながら、「助言する－助言に答える」で使われた表現を確認しましょう。

■ 話してみよう

このユニットで学んだことを活用して、ロールプレイをしましょう。

1.
① ペアを組んで、一人はAの役、もう一人はBの役をしてください。Aの役の人は175ページのロールカード1Aを、Bの役の人は176ページのロールカード1Bを見てください。（相手のカードは見ないでください。）

② Aの役の人はBの役の人に助言します。Aの役の人から話し始め、ロールカードに書かれた情報をできるだけ多く取り入れて、やり取りを続けてください。

2.
① ペアを組んで、一人はAの役、もう一人はBの役をしてください。Aの役の人は175ページのロールカード2Aを、Bの役の人は176ページのロールカード2Bを見てください。（相手のカードは見ないでください。）

② Aの役の人はBの役の人に助言します。Bの役の人から話し始め、ロールカードに書かれた情報をできるだけ多く取り入れて、やり取りを続けてください。

ユニット7　不満を伝える

セクション1　不満を伝える

　問題が起こったときには、その責任がある人に不満を伝えたくなります。しかし、不満を言われた相手は嫌な気持ちになるので、相手とよい関係を続けていきたい場合には、ことばを選んで上手に不満を伝える必要があります。このセクションでは、相手との関係や問題が修復できるかどうかに応じたストラテジーや表現の使い方を学びましょう。

■ 聞いてみよう　トラックNo.55〜58

① 短い会話を4つ聞いて、下の表を完成させましょう。まず上下関係を判断し、目上でない場合は親疎関係も選択してください。

	どんな人に不満を伝えましたか	どんな不満を伝えましたか	修復できますか
会話1	↗ or ↘　　人 or 目		○ or ×
会話2	↗ or ↘　　人 or 目		○ or ×
会話3	↗ or ↘　　人 or 目		○ or ×
会話4	↗ or ↘　　人 or 目		○ or ×

② もう一度4つの会話を聞いて、不満を伝える表現を記入しましょう。

	使われている表現
会話1	
会話2	
会話3	
会話4	

③ ①の表と②の表現を見て、会話の相手と問題が修復できるかどうかによって、表現にどのような違いがあるかクラスで話し合いましょう。

くわしく学ぼう

1. 不満を伝える表現

（1）目上の人や親しくない人に不満を伝えるとき

会話1　トラックNo.55

状況：ジミーは志望している会社に応募するため、ゼミの教授に推薦状をお願いしました。それから2週間たちましたが、ジミーは教授から推薦状をまだもらっていません。ジミーは教授の研究室にやってきました。

ジミー………あの、先生、この間お願いした推薦状なんですが、どうなっていますでしょうか。応募の締め切りが迫っていまして…。

先生…………あっ、ごめん、忘れてた！　いつまでだっけ？

会話2　トラックNo.56

状況：マルタは気に入っているドレスをクリーニングに出しました。ところが戻ってきたドレスが、もう着られないほど縮んでいることに気づき、クリーニング店に電話をしました。

マルタ………この間クリーニングに出したドレスが縮んじゃってたんですけど。

店員…………それは大変申し訳ございませんでした。どのような状態でしょうか。

　これまでのユニットとは違い、不満を伝えるときに使われる基本フレーズというものはありません。つまり、不満を伝えるための決まった言い方はないのです。その代わり、さまざまなストラテジーを用いて不満な気持ちを相手に伝えます。不満を伝えると、相手の面子が傷つきます。そのため、はっきり不満を伝えずに、遠回しに伝えるストラテジーがよく使われます。目上の人や親しくない人に不満を伝えるときには次のようなストラテジーが使われます。

遠回しに不満を伝える

ストラテジー	表現例
状況を説明する	次の試合に出場できなくなったんです。 配達予定日を過ぎても届いていないのですが。
状況を確認する	どうなっていますでしょうか。 例の件、どうなりましたか。
問題をほのめかす	書類に何か問題がありましたでしょうか。 私、何かしましたか。
ルールを伝える	この建物は全館で禁煙とさせていただいております。 ここは歩行者優先道路ですよ。
原因をたずねる	いったいなぜこんなことになったんですか。 どうしてですか。

はっきり不満を伝える

ストラテジー	表現例
修復(しゅうふく)を求める	早めにサインいただけますでしょうか。 すぐに直しに来てください。
賠償(ばいしょう)を求める	責任とってください。 弁償(べんしょう)してください。
迷惑(めいわく)だと言う	迷惑なんですけど。 いいかげんにしてください。

　はっきり不満を伝えるストラテジーには、次のような注意が必要です。【修復を求める】は、問題の修復がまだ可能であるときに使われます。一方、【賠償を求める】は、修復できない問題を別の形で解決するように求めるときに使われます。しかし問題の修復ができない場合に不満を伝えると、相手はどうしようもないことで責められていると感じてしまい、嫌(いや)な気持ちになってしまいます。そのため、相手との関係が悪くなっても構わないときや損失が大きく金銭的(きんせんてき)な補償(ほしょう)が必要なとき以外、【賠償を求める】はなるべく使わないほうがよいでしょう。また【迷惑だと言う】は、かなり失礼な言い方なので、目上の人には使えません。

練習

相手との関係や問題が修復できるかどうかに注意して、不満を伝える表現を考えましょう。

① あなたは大事なお客様との食事のためレストランを予約しました。そのレストランに行ったところ、満席だと断られてしまいました。
② あなたが駅のホームで乗車待ちの列に並んでいると、見知らぬ人が割り込んできました。
③ あなたのアパートの隣の部屋に先週引っ越してきた人は犬を飼っています。あなたはその犬の鳴き声がうるさくてしかたありません。

（2）対等・目下で親しい人に不満を伝えるとき

会話3　トラックNo.57

状況：アントニオはルームシェアをしています。試験前で勉強しなくてはならないのに、ルームメイトのドルジが友達を呼んでパーティーをしています。

アントニオ……悪いけど、ちょっと静かにしてくれないかな。勉強してるんだから。

ドルジ……………ごめん、うるさかった？

会話4　トラックNo.58

状況：たかしは、旅行に行く友人のカルロスに愛用のデジカメを貸しました。1週間後、旅行から帰ってきたカルロスがたかしに言いました。

カルロス……たかし、ごめん…。借りてたデジカメなくしちゃった…。

たかし………えっ、何それ？　信じられない！　新しいの買って返してよ。

対等・目下で親しい人に不満を伝えるストラテジーには、次のようなものがあります。

遠回しに不満を伝える

ストラテジー	表現例
状況を説明する	さっきからうるさくて勉強できないんだけど。 あれがなくなるとすごく困るんだよね。
状況を確認する	この前頼んだこと、どうなってるかな？ 貸したお金、まだ返してもらってなかったよね？
問題をほのめかす	私何かした？ 何か恨みでもあるの？
ルールを伝える	図書館では静かにしなきゃ。 約束は守るものだろ。
原因をたずねる	今日のミーティング、どうして来なかったの？ なんでなくしたの？

はっきり不満を伝える

ストラテジー	表現例
修復を求める	すぐに返してもらえるかな？ 今日中に直してよね。
賠償を求める	かわりに今度おごってよ。 弁償してよ。
迷惑だと言う	いいかげんにしてくれる？ かんべんして（くれ）よ。

　はっきり不満を伝える【修復を求める】と【賠償を求める】の使い分けについては、目上の人・親しくない人の場合と同様です。対等・目下で親しい人に対しては、大きな迷惑をかけられて怒っているときには【迷惑だと言う】を使って、不満な気持ちをはっきり伝えることもできます。ただし、問題の修復ができない場合に、【迷惑だと言う】を使うと、取り返しがつかないことで相手を責めることになります。特に、相手がすでに謝罪している場合には、相手との関係が悪くなる可能性が高いので注意が必要です。

練習

相手との関係や問題が修復できるかどうかに注意して、不満を伝える表現を考えましょう。

① あなたは、家に遊びに来た友達に、大事にとっておいた高級なワインを勝手に飲まれてしまいました。
② あなたはルームメイトにしょうゆを買ってきてくれるように頼みましたが、ルームメイトはソースを買ってきました。
③ あなたは図書館で勉強しています。隣の机で勉強していたあなたの後輩たちが大声で話しはじめました。

（3）不満を伝えるストラテジーの組み合わせ

不満を伝えるときには、**（1）目上の人や親しくない人に不満を伝えるとき、（2）対等・目下で親しい人に不満を伝えるとき**で学んだストラテジーをいくつか組み合わせて使うこともあります。よく使われる組み合わせは、【状況を説明する】＋【修復を求める】や【状況を説明する】＋【状況を確認する】です。以下の例を見てみましょう。

例1：状況を説明する＋修復を求める

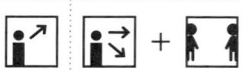

ちょっと通れないんですが、車を動かしていただけますか。

勉強できないから、静かにしてくれる？

例2：状況を説明する＋状況を確認する

今日届くはずの荷物が届いてないんですが、どうなってますか。

デジカメの電源が入らないんだけど、何かした？

2. 不満を伝える表現とともに使われるストラテジー

　不満を伝えるときには、次のようなストラテジーと組み合わせることもできます。こうしたストラテジーを加えることによって、不満を言いながらも相手の気持ちに配慮していることを伝えることができます。

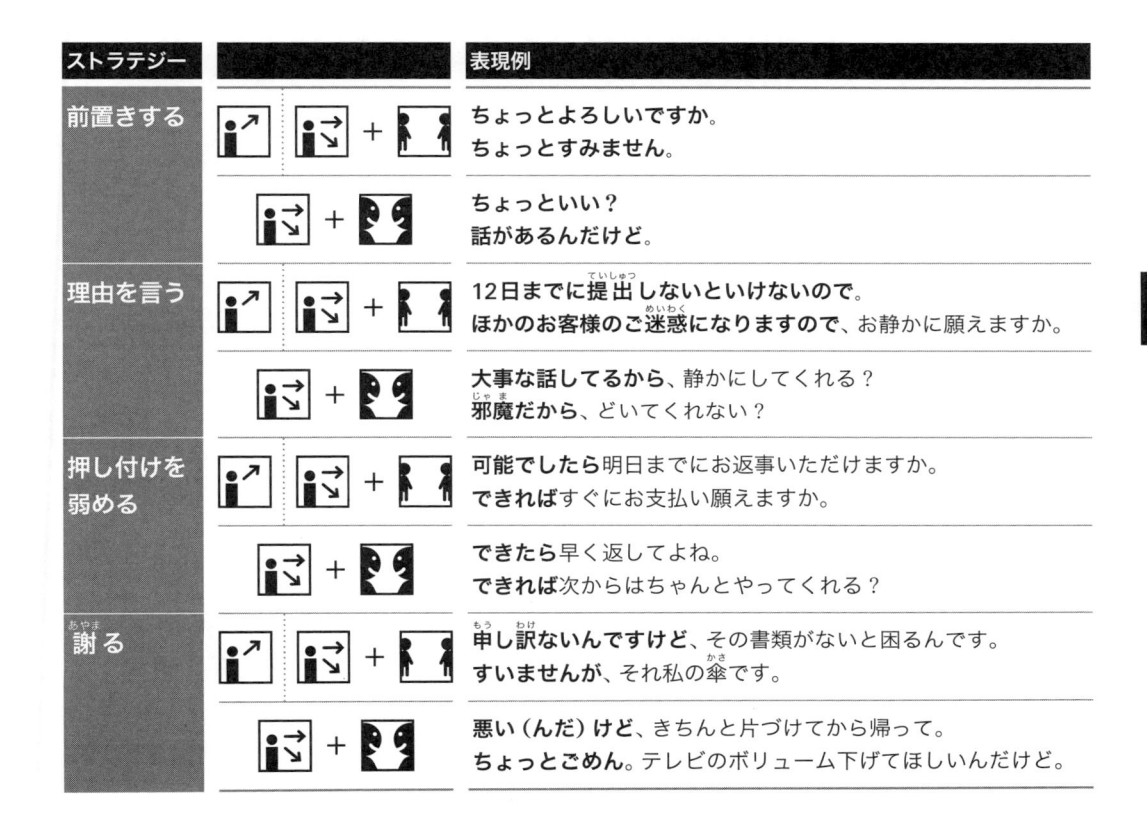

ストラテジー		表現例
前置きする	↗ ＋ → ＋ 人	ちょっとよろしいですか。 ちょっとすみません。
	↘ ＋ 目	ちょっといい？ 話があるんだけど。
理由を言う	↗ ＋ → ＋ 人	12日までに提出しないといけないので。 ほかのお客様のご迷惑になりますので、お静かに願えますか。
	↘ ＋ 目	大事な話してるから、静かにしてくれる？ 邪魔だから、どいてくれない？
押し付けを弱める	↗ ＋ → ＋ 人	可能でしたら明日までにお返事いただけますか。 できればすぐにお支払い願えますか。
	↘ ＋ 目	できたら早く返してよね。 できれば次からはちゃんとやってくれる？
謝る	↗ ＋ → ＋ 人	申し訳ないんですけど、その書類がないと困るんです。 すいませんが、それ私の傘です。
	↘ ＋ 目	悪い（んだ）けど、きちんと片づけてから帰って。 ちょっとごめん。テレビのボリューム下げてほしいんだけど。

　目上の人や知らない人に不満を伝えるときなど、相手の気持ちに配慮する必要性が高いときほど、複数のストラテジーを組み合わせて使うことが多くなります。以下の例を見てみましょう。

例：

店員…………<u>お客様、ちょっとよろしいでしょうか。</u>　　　　前置きする
客……………何？
店員…………<u>大変申し訳ございませんが、</u>　　　　　　　　　謝る
　　　　　　　<u>ほかのお客様のご迷惑になりますので、</u>　　　　理由を言う
　　　　　　　<u>できましたら、もう少し</u>　　　　　　　　　　　押し付けを弱める
　　　　　　　お静かに願えますでしょうか。　　　　　　　　 不満を伝える

まとめの練習

相手との関係や問題が修復できるかどうかに注意し、不満を伝える表現と必要なストラテジーを組み合わせて、不満を伝えましょう。

① あなたは外国でしか買えない、大切な写真集を友達に貸しました。写真集を返してもらうと、破れてなくなっているページがありました。

あなた：

② あなたは期末レポートを書いています。締め切りは2週間後でしたが、先生に突然、明日提出するように言われてしまいました。

あなた：

③ あなたはレストランで食事をしています。禁煙席なのに、隣のテーブルの客がタバコを吸い始めました。

あなた：

■ 話してみよう

1. 「くわしく学ぼう」の会話1～4をペアになって練習しましょう。
2. ① 次の役割や、問題が修復（しゅうふく）できるかどうかに合った不満の内容を考えて、書きましょう。

	役割　　　　　　　　　　　　　　　　　　　　　　　　　　　　　　　　　不満を伝える人　　不満を言われる人	修復できるか	不満の内容
例	学生と学生（親しい）	修復可	ルームメイトがうるさくて勉強できない
1	学生　　　　　先生	修復可	
2	知らない人同士	修復不可	
3	同僚（どうりょう）と同僚（あまり親しくない）	修復不可	
4	学生と学生（親しい）	修復可	

② 上の内容で、不満を伝える表現とほかに必要なストラテジーを考えて、下の欄（らん）に書きましょう。

例	悪いけど、ちょっと静かにしてくれないかな。勉強してるんだから。
1	
2	
3	
4	

③ ペアになって、①の各場面で②で書いた表現を使って不満を伝えてください。相手の人はそれに対して答えてください。その後、役割を交代して、同様に練習しましょう。

会話のヒント	日本人に嫌がられる不満の伝え方

　不満の気持ちが大きいときには、「ふざけるな！」「いいかげんにして！」などと感情を表に出したくなるかもしれません。しかし、日本語では、相手と今後もよい関係を続けたい場合には、感情を表に出して不満な気持ちを伝えることはあまりありません。人前でこうしたことをする人は、自分勝手で常識がないと思われ、嫌がられる傾向もあります。

　そうかと言って、間接的に不満を伝えればいいとも限りません。例えば、ことばを使わずに不満を伝える舌打ちやせきばらいはあまりお勧めできません。日本の文化では舌打ちは下品な行いと考えられていますし、せきばらいも場合によっては失礼になることがあります。不満な気持ちをことばやふるまいで表に出すことが普通の文化もありますが、日本ではあまり好まれないことを覚えておきましょう。

セクション2　言われた不満に答える

　不満を言われたとき、自分に責任があるなら素直に謝るべきですが、時には自分には責任がないことで責められることもあるかもしれません。そのようなときにも上手に返事ができるようになりたいものです。このセクションでは、不満を言われたときの適切な返事の仕方を学びましょう。

■ 聞いてみよう　トラックNo.59～61

① 短い会話を3つ聞いて、下の表を完成させましょう。まず上下関係を判断し、目上でない場合は親疎関係も選択して下さい。返事については、下のa～cの選択肢から選びましょう。

a……受け入れた　b……受け入れなかった　c……どちらでもない

	どんな人に不満を伝えられましたか		どんな不満を伝えられましたか	不満を受け入れましたか
会話1	↗ or ↘	👤 or 👥		a b c
会話2	↗ or ↘	👤 or 👥		a b c
会話3	↗ or ↘	👤 or 👥		a b c

② もう一度3つの会話を聞いて、言われた不満に答える表現を記入しましょう。

	使われている表現
会話1	
会話2	
会話3	

③ ①の表と②の表現を見て、会話の相手や言われた不満を受け入れるかどうかによって、答え方にどのような違いがあるかクラスで話し合いましょう。

くわしく学ぼう

1. 不満を受け入れるとき

会話1 トラックNo.59

状況：ルイは友人のこうへいの車に乗っています。ルイはタバコに火をつけました。

こうへい……ちょっとルイ、この車禁煙なんだけど。
ルイ…………あっ、ごめん。

不満を受け入れるときは、次のようなストラテジーが使われます。【承知する】だけを使うと反省の気持ちが伝わらないので、【謝る】と合わせて使われることが多いです。

ストラテジー		表現例
謝る	↗↗ + 👥	すみません（でした）。 本当に申し訳ありません。
	↗ + 👥	（本当に）ごめん（ね）。 悪かった（ね）。〈主に男性〉
承知する	↗↗ + 👥	はい、わかりました。 承知いたしました。
	↗ + 👥	うん。 わかった（よ）。

謝るときは、**ユニット3 謝罪する**（43ページ）で学んだように、【謝る】だけでなく、【責任を認める】【説明する】【埋め合わせを申し出る】【約束する】などのストラテジーと組み合わせることもできます。

例：
客……………ちょっとー、頼んだうな重、まだ来ないんだけど。
店員…………お待たせして申し訳ございません。　　　　　　　謝る
　　　　　　本日は大変混みあっておりまして……。　　　　　説明する
　　　　　　できあがり次第すぐにお持ちいたします。　　　　約束する

> 練習

相手との関係に注意して、不満を受け入れる表現を考えてみましょう。
① あなたは電車の中で携帯電話で話していると、隣の人に文句を言われました。
② あなたは友達との待ち合わせに1時間遅れたので、不満を言われました。
③ あなたは、リビングルームのエアコンをつけっぱなしで出かけたので、ルームメイトに不満を言われました。

2. 不満を受け入れないとき

会話2 トラックNo.60

状況：トゥアンは作家である山下のアシスタントで、1時間後に始まる山下の講演会の準備をしています。これまでの講演会では、いつも山下が自分でパソコンを持ってきていました。山下がトゥアンのところに来て言いました。

山下………ちょっとトゥアン！　パソコンがないわよ！　必要だってわかってるのに、なんで持ってきてくれなかったの？

トゥアン……え、私はいつものように先生がご用意くださると思っていたものですから。

不満を受け入れないときには、次のようなストラテジーがよく使われます。

ストラテジー		表現例
関わっていないことを伝える	↗ ↗ + 👥	こちらは私の担当ではございませんので…。 （それは）私ではありません。
	↗ + 😈	えっ、知らなかった。 私／僕／俺はそんなことしてないよ。
責任を否定する	↗ ↗ + 👥	私どもでは責任を負いかねます。 そちらの責任ではないですか。
	↗ + 😈	私／僕／俺のせいじゃないよ。 自分が悪いんじゃない。

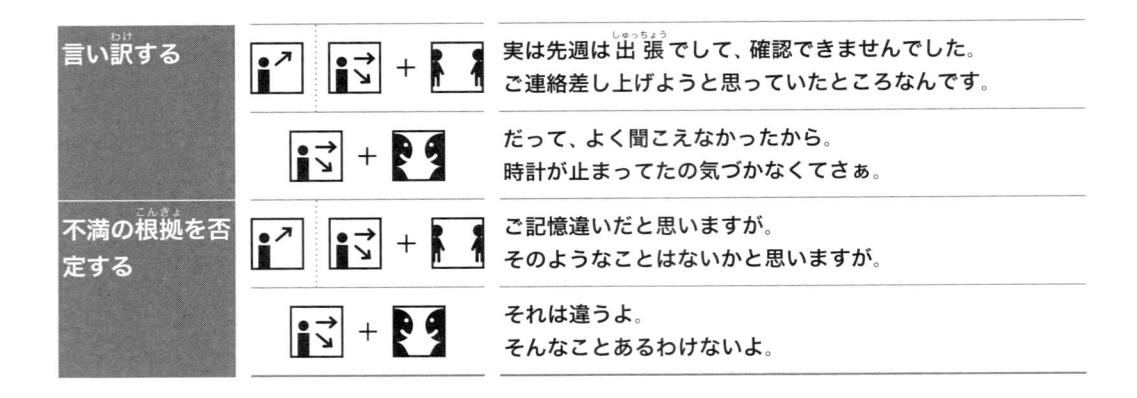

言い訳する	↗ ↘ + 👥	実は先週は出張でして、確認できませんでした。 ご連絡差し上げようと思っていたところなんです。
	↘ + 👀	だって、よく聞こえなかったから。 時計が止まってたの気づかなくてさぁ。
不満の根拠を否定する	↗ ↘ + 👤	ご記憶違いだと思いますが。 そのようなことはないかと思いますが。
	↘ + 👀	それは違うよ。 そんなことあるわけないよ。

　目上の人や親しくない人に対しては、【責任を否定する】や【不満の根拠を否定する】はあまり使いません。また、謝らずに【言い訳する】だけを使うと反省している気持ちが伝わらず、失礼になることがあるので注意しましょう。

練習

相手との関係に注意して、不満を受け入れない表現を考えてみましょう。
① あなたは、上司から会議の時間を間違えて伝えられたのに、その上司から会議に遅刻したことに対して文句を言われました。
② あなたは家庭教師をしている自分の生徒に、宿題が多いと不満を言われました。
③ あなたは友達から、うそをついたと文句を言われました。しかしあなたはうそをついていません。

3. すぐには答えられないとき

会話3 ↘ 👀　トラックNo.61

状況：レラトは友達のあすかと待ち合わせをしていました。約束の時間通りに到着したはずなのに、あすかはなぜか怒っています。

あすか………おそーい！
レラト………えっ、なんで？

なぜ不満を言われたのかよくわからず、すぐには答えられないときには、次のようなストラテジーを使って、不満の対象や理由を確認します。

ストラテジー		表現例
事実関係を確認する	↗ ↘ + 👤	お約束は明日ではなかったでしょうか。 お送りしたはずですが、届いてませんでしょうか。
	↘ + 👀	あしたじゃなかったっけ？ 行けないって連絡したよね？
不満の対象を確認する	↗ ↘ + 👤	どういったことでしょうか。
	↘ + 👀	えっ、何のこと？
理由をたずねる	↗ ↘ + 👤	何か問題がございましたでしょうか。 どうなさいましたか。
	↘ + 👀	え、なんで怒ってるの？ どうして？

これらのストラテジーとともに、【謝る】を一緒に使うと、相手の気持ちに配慮しながらも、不満を全面的には受け入れていないことを示すことができます。以下の例を見てみましょう。

例：
課長………………頼んでた企画書、まだなの？
永井………………あ、すみません。　　　　　　　　　　　　　　**謝る**
　　　　　　　　ですが、期限は来週ではなかったでしょうか？　**事実関係を確認する**

練習

相手との関係に注意して、すぐには答えない表現を考えてみましょう。
① あなたはアルバイトをしているレストランで、いきなり客から「どうなっているんだ？」とどなられました。
② 友達から電話がかかってきて、あなたはいきなり「おまえ、ふざけんなよ。」と怒られました。
③ あなたは同僚から、「あれ、今日返してくれるはずだったじゃない。」と不満を言われました。

まとめの練習

相手との関係、問題が修復できるか、自分に責任があるかを考えて、どのような返事をするか決め、必要なストラテジーを組み合わせて答えましょう。

① あなたは昨日会社の倉庫の鍵を使い、すぐに返しました。翌日、同僚があなたのところに来て言いました。

同僚：あのさぁ、昨日倉庫の鍵使ったよね。まだ戻ってないんだけど。

あなた：

② あなたはレストランでアルバイトをしています。料理を運ぶと、お客さんから言われました。

お客さん：ちょっと、これ注文したものと違うんですけど。

あなた：

③ あなたは部屋の鍵を忘れて、深夜にルームメイトに鍵を開けてもらいました。

ルームメイト：もう、何時だと思ってんの？

あなた：

話してみよう

1. 「くわしく学ぼう」の会話1〜3をペアになって練習しましょう。
2. 次の1〜4の場面にもとづいて、短い会話をしましょう。

	役割		不満の内容
	不満を伝える人	不満を言われる人	
1	お客さん	店員	出された料理に虫が入っていた
2	先生	学生	授業中に私語がうるさい
3	同僚と同僚（親しい）		貸していたペンをなくした
4	隣に住んでいる人同士（親しくない）		深夜に騒いでいる

会話のヒント	「まず謝ること」が大事です

あなたの国では不満を言われたとき、自分に責任がなくても謝りますか。実はどんなときに謝ったほうがよいかは、国や文化によってかなり違います。日本では責任があるかどうかにかかわらず、まず謝ることが問題をスムーズに解決する方法だと考える人が多いです。責任を認めていないのに謝るのは、たとえ自分は悪くないとしても相手が嫌な思いをしていることは事実なので、そうさせてしまったことに対して申し訳ないという気持ちを伝えるためです。そして、謝った後で、相手が何に対して不満を持っているのか、どうしたら解決できるのかなど、具体的な話を聞いていくのです。このように、日本人とのコミュニケーションでは、まず謝ることが問題解決の第一歩になることを覚えておきましょう。

セクション3　総合練習

　最後に、「不満を伝える－言われた不満に答える」やり取りを含んだ長い会話を聞いたり、話したりする練習をしましょう。

■ 聞いてみよう

1. 会話を聞いて、次の問題に答えましょう。　トラックNo.62
① どのような不満を伝えましたか。

[1]

② 不満を言われた人は、どうしましたか。

③ 会話のスクリプト（160ページ）を見て、二人の関係、問題が修復できるか、不満を言われた人に責任があるかに注意しながら、「不満を伝える－言われた不満に答える」で使われた表現を確認しましょう。

2. 会話を聞いて、次の問題に答えましょう。　トラックNo.63
① どのような不満を伝えましたか。

[1]

② 不満を言われた人は、どうしましたか。

③ 会話のスクリプト（160ページ）を見て、二人の関係、問題が修復できるか、不満を言われた人に責任があるかに注意しながら、「不満を伝える－言われた不満に答える」で使われた表現を確認しましょう。

話してみよう

このユニットで学んだことを活用して、ロールプレイをしましょう。

1.
① ペアを組んで、一人はAの役、もう一人はBの役をしてください。Aの役の人は177ページのロールカード1Aを、Bの役の人は178ページのロールカード1Bを見てください。（相手のカードは見ないでください。）

② Aの役の人はBの役の人に不満を伝えます。Aの役の人から話し始め、ロールカードに書かれた情報をできるだけ多く取り入れて、やり取りを続けてください。

2.
① ペアを組んで、一人はAの役、もう一人はBの役をしてください。Aの役の人は177ページのロールカード2Aを、Bの役の人は178ページのロールカード2Bを見てください。（相手のカードは見ないでください。）

② Aの役の人はBの役の人に不満を伝えます。Aの役の人から話し始め、ロールカードに書かれた情報をできるだけ多く取り入れて、やり取りを続けてください。

ユニット8　ほめる

セクション1　ほめる

　誰でもほめられたら嬉しいでしょう。ほめることは、周りの人とよい関係を作ったり、続けていくためにとても効果的です。しかし、誰に対しても同じようにほめていいわけではありません。このセクションでは、日本語では誰の何をほめたらいいか、どのような表現を使うべきかを学びましょう。

聞いてみよう　トラックNo.64～67

① 短い会話を4つ聞いて、下の表を完成させましょう。まず上下関係を判断し、目上でない場合は親疎関係も選択してください。

	どんな人をほめましたか	何についてほめましたか
会話1	↗ or ↘　　or	
会話2	↗ or ↘　　or	
会話3	↗ or ↘　　or	
会話4	↗ or ↘　　or	

② もう一度4つの会話を聞いて、ほめる表現を記入しましょう。

	使われている表現
会話1	
会話2	
会話3	
会話4	

③ ①の表と②の表現を見て、会話の相手によって、表現にどのような違いがあるかクラスで話し合いましょう。

くわしく学ぼう

1. ほめる表現

(1) 目上の人や親しくない人をほめるとき

会話1 トラックNo.64

状況：アリッサは、会社の先輩の上田の新居に招かれました。

アリッサ……すてきなお宅ですねー！
上田…………ありがとう。でもローンがあるから、もう会社辞められないけどね。

会話2 トラックNo.65

状況：ミンジョンは取引先の岡村部長の机の上に、囲碁の大会で優勝したときの記念写真が飾ってあるのを見つけました。

ミンジョン……大会で優勝されるなんて、お強いんですね！
岡村……………そう？　まあ小さな大会だから、たいしたことないですよ。

　ユニット7　**不満を伝える**と同様、ほめるときに使われる基本フレーズというものはありません。簡単な構文で、肯定的な形容詞や副詞を使うことによって表します。
　目上の人や親しくない人をほめるときに使われる構文には、次のようなものがあります。

> （主語）＋形容詞＋ですね　　　　　　例：（その靴）すてきですね。
> （主語）＋形容詞＋名詞＋ですね　　　例：（それ）すてきな靴ですね。

　ほめるときによく使われる形容詞には「いい」「すごい」「すてきな」「きれいな」「かわいい」「かっこいい」などがありますが、「すごい」「かわいい」「かっこいい」は子供っぽく聞こえることがあるので、改まった場面では使わないほうがよいでしょう。持ち物や外見をほめるときに使う「きれい」「かわいい」は主に女性や女性的なものに、「かっこいい」は男性や男性的なものに使われます。形容詞を強調する副詞の「とても」「本当に」をつけると、

よいと思っている気持ちをより強く表すことができます。文末を「～よね」にすると、相手に言い聞かせている感じや「今気がついたのではなく前から思っていた」という気持ちが伝わります。

　日本の文化では、相手の「持ち物」「外見(がいけん)」「能力・実績」「職業・学歴」などをよくほめます。相手自身のことだけでなく、相手の家族などをほめることもよくあります。ほめる対象ごとに、よく使われる表現を見てみましょう。

ほめる対象	表現例
持ち物	すてきなお宅ですね。 その靴かっこいいですね。
外見	奥様おきれいですよね。 本当にかわいいお子(こ)さんですね。
能力・実績	お料理がとてもお上手(じょうず)ですね。 マラソン大会で入賞されるなんて、さすがですね。
職業・学歴	テレビ局にお勤めなんて、すごいですね。 息子さん、医学部に通われているそうですね。優秀なんですね。

練習

相手との関係に注意して、ほめる表現を考えましょう。
① あなたは職場の同僚(どうりょう)たちとカラオケに来ています。歌が上手な上司(じょうし)をほめます。
② あなたは取引先の人とゴルフに来ています。ゴルフが上手な取引先の人をほめます。
③ あなたは、髪型を変えて出社してきた会社の先輩(せんぱい)をほめます。

（2）対等・目下で親しい人をほめるとき

会話3　トラックNo.66

状況：レアは友達のゆうこの家で、家族写真を見せてもらいました。
レア............お兄ちゃん、かっこいいね！
ゆうこ........えー、そうかなぁ？

会話4　トラックNo.67

状況：けんじが大学のカフェで友達と話しているところに、先輩のニーナがやってきて話しかけました。
ニーナ........けんじ、英検1級合格したんだって？　すごいね！
けんじ........ありがとうございます！　3度目の挑戦でやっと受かりました！

対等・目下で親しい人をほめるときに使われる構文には、次のようなものがあります。

（主語）＋形容詞＋（ね）　　　　　例：（その靴）かっこいい（ね）。
（主語）＋形容詞＋名詞＋（だ）ね　例：（それ）かっこいい靴だね。
副詞＋動詞＋ね　　　　　　　　　　例：よく頑張ったね。

　対等・目下で親しい人をほめるときは、形容詞（＋名詞）を使った構文だけでなく、副詞＋動詞を使った構文も使われます。男性は文末に「～ね」の代わりに「～な」を使うこともあります。また、「～ね」の代わりに「～よね」を使うと、相手に言い聞かせている感じや、「今気がついたのではなく前からよいと思っていた」という気持ちが伝わります。形容詞や副詞を強調する副詞の「ほんとに」「すごく」「超」などをつけると、よいと思っている気持ちをより強く表すことができます。ほめる対象ごとに、よく使われる表現を見てみましょう。

ほめる対象	表現例
持ち物	いい時計だね。 そのジャケットほんとにかっこいいね。
外見	ゆうじの妹、超かわいいな！ いつもおしゃれな服着てるね。
能力・実績	箸の使い方、すごくうまいよね。 3歳からピアノを続けてるんだってね。すごいね。
職業・学歴	東大生なの？　すごく頭いいんだね。 お父さん会社の社長さんなんでしょ？　すごいね。

練習

相手との関係に注意して、ほめる表現を考えましょう。
① あなたは、友達の着ている服をほめます。
② あなたは、ルームメイトが作ってくれた料理をほめます。
③ 友達があなたに恋人の写真を見せました。あなたは、友達の恋人をほめます。

2. ほめる表現とともに使われるストラテジー

　日本語では、ほめる表現だけを使ってほめることも多いですが、次のようなストラテジーと組み合わせることもあります。こうしたストラテジーは、ほめことばを強調することによって、ほめたものを心からよいと思っていることを伝える働きがあります。

ストラテジー		表現例
希望を言う	↑ → + 👤	私もいつか手に入れたいです。 私もそんなふうになりたいものです。
	→ + 👀	そんなのほしいなぁ。 私／僕／俺もそれくらい歌がうまかったらなぁ。
うらやむ	↑ → + 👤	うらやましい限りです。 いいですねぇ！
	→ + 👀	うらやましい！ いいなー！
本心だと言う	↑ → + 👤	本当にそう思います（よ）。 いや、お世辞じゃなく。
	→ + 👀	うそじゃないよ。 ほんとに。

おおげさにほめたいときには、以下の例のようにいくつかのストラテジーを組み合わせて使うこともあります。

例:
みく……………久しぶりー！
あかね…………久しぶりー！　あれ？　**すっごいやせたねー！**　　　ほめる
みく……………うん、夏休みにダイエットしたんだ。
あかね…………へぇ、そうなんだー。**モデルみたいだね！**　　　ほめる
　　　　　　　うらやましいなぁ。　　　　　　　　　　　　　うらやむ
みく……………えー。
あかね…………ほんとほんと！　　　　　　　　　　　　　　　本心だと言う

まとめの練習

相手との関係に注意し、ほめる表現と必要なストラテジーを組み合わせて、ほめましょう。

① あなたは、上司の家に食事に招かれました。上司の奥さんが作ってくれた料理をほめます。

あなた：

② あなたは、職場の同僚とボウリングをしています。ボウリングが上手な先輩をほめます。

あなた：

③ 留学生の友達が日本語のテストで満点を取りました。その友達をほめます。

あなた：

話してみよう

1. 「くわしく学ぼう」の会話1〜4をペアになって練習しましょう。
2. ① 次の役割に合ったほめる内容を考えて、書きましょう。

	役割		ほめる内容
	ほめる人	ほめられる人	
例	後輩(こうはい)	先輩(せんぱい)	先輩の新居
1	学生	先生	
2	部下	上司(じょうし)	
3	学生と学生（親しい）		
4	同僚(どうりょう)と同僚（あまり親しくない）		

② 上の内容で、ほめる表現とほかに必要なストラテジーを考えて、下の欄(らん)に書きましょう。

例	素敵(すてき)なお宅ですねー！　私もいつかこんなうちに住んでみたいです。
1	
2	
3	
4	

③ ペアになって、①の各場面で②で書いた表現を使ってほめてください。相手の人はそれに対して答えてください。その後、役割を交代して、同様に練習しましょう。

会話のヒント	目上の人の能力・実績をほめるときの注意点

　目上の人の能力や実績をほめると、自分がその人を評価できる立場にいる（自分は目下ではない）というメッセージが伝わり、失礼に聞こえてしまうことがあります。特に目上の人が自分と同じ仕事をしている場合や自分の先生である場合がそうです。例えば、アルバイト先の上司に「いつも判断が的確ですね。」と言ったり、日本語の先生に「今日の授業はとてもよかったですよ。」と言ったりすると失礼なので注意しましょう。ただし、趣味などの相手の仕事や専門と関係がないことをほめる場合や、相手の仕事や専門分野が自分と同じではない場合は例外です。テニスが上手な上司に「課長はテニスが本当にお上手ですね。」と言ったり、アナウンサーがスポーツ選手に「本当に素晴らしいプレイでしたね。」と言うのは全く問題ありません。

セクション2　ほめことばに答える

　ほめられたとき、あなたはどうしますか。嬉しい気持ちを正直に伝えますか。それとも、謙遜しますか。ほめられたときの返答の仕方は文化による違いが大きいと言われていますが、あなたの国のことばと日本語では違いがあるでしょうか。このセクションでは、日本語でほめられたときの答え方として、どのようなストラテジーや表現が使えるのかを学びましょう。

聞いてみよう　🎧 トラックNo.68〜70

① 短い会話を3つ聞いて、下の表を完成させましょう。まず上下関係を判断し、目上でない場合は親疎関係も選択してください。返事については、下のa〜cの選択肢から選びましょう。

a……受け入れた　b……受け入れなかった　c……どちらでもない

	どんな人にほめられましたか	何についてほめられましたか	ほめことばを受け入れましたか
会話1	⬆ or ➡　👤 or 👥		a b c
会話2	⬆ or ➡　👤 or 👥		a b c
会話3	⬆ or ➡　👤 or 👥		a b c

② もう一度3つの会話を聞いて、ほめことばに答える表現を記入しましょう。

	使われている表現
会話1	
会話2	
会話3	

③ ①の表と②の表現を見て、会話の相手やほめことばを受け入れるかどうかによって、答え方にどのような違いがあるかクラスで話し合いましょう。

くわしく学ぼう

1. ほめことばを受け入れるとき

会話1 トラックNo.68

状況：ユセフは出版社でインターンシップをしています。上司の村上課長に話しかけられました。

村上……ユセフくんは仕事が早いね。
ユセフ……そう言っていただけて嬉しいです。

ほめことばを受け入れるときは、次のようなストラテジーがよく使われます。

ストラテジー		表現例
喜びを表す	↗ ⤴ + 👤	光栄です。 そう言っていただけてうれしいです。
	⤴ + 👀	うれしー！ 気に入ってもらえてよかったー。
感謝する	↗ ⤴ + 👤	恐れ入ります。 ありがとうございます。
	⤴ + 👀	どうも。 ありがと（う）。
肯定的な説明をする	↗ ⤴ + 👤	私も気に入っているんです。〈持ち物など〉 私も満足しています。〈実績など〉
	⤴ + 👀	お気に入りなんだ。〈持ち物など〉 がんばったんだ。〈実績など〉
同意する	⤴ + 👤	あ、よく（そう）言われます。
	⤴ + 👀	でしょ？ だろ？／まぁね。〈主に男性〉

【感謝する】表現の「すみません」は、ほめられたときには使えません。また、目上の人からほめられたときには、【同意する】は生意気な印象を与えてしまうので使いません。

練習

相手との関係に注意して、ほめことばを受け入れる表現を考えましょう。
① あなたは、授業で先生に発表をほめられました。
② あなたは、あなたが作った企画書を上司にほめられました。
③ あなたは、新しく買った時計を友達にほめられました。

2. ほめことばを受け入れないとき

会話2 トラックNo.69

状況：ククは会社員です。昼休みに先輩の渡辺に話しかけられました。
渡辺……いつもお弁当作ってきて、えらいね。
クク……いえ、そんなことないです。料理が好きなだけなので。

ほめことばを受け入れないときには、次のようなストラテジーがよく使われます。

ストラテジー		表現例
遠慮する	↗ ↘ + 👤	お恥ずかしい（限り）です。 いえ（いえ）、そんな…。
	↘ + 👥	照れるなぁ。 もうー、やめて（くれ）よー。
同意しない	↗ ↘ + 👤	とんでもないです。 そんなことないです（けど）。
	↘ + 👥	そんなことないよ。 たいしたことないよ。

【同意しない】の前には、目上の相手に対しては「いえ」や「いえいえ」、対等や目下の相手に対しては「いや」（主に男性）や「ううん」（主に女性）がよく使われます。「いいえ」を使うことはほとんどありません。「いいえ」を使うと相手の意見を強く否定しているように聞こえ、失礼になるからです。

練習

相手との関係に注意して、ほめことばを受け入れない表現を考えましょう。
① あなたは、友達に頭がいいとほめられました。
② あなたは、隣に住んでいる人に日本語が上手だとほめられました。
③ あなたは、提出したレポートを先生にほめられました。

3. はっきり答えたくないとき

会話3 トラックNo.70

状況：あゆみは友達のジェネビブに話しかけました。
あゆみ……わー、その指輪、超かわいい！
ジェネビブ……えー、ほんと？　彼氏に買ってもらったんだ。

ほめことばを受け入れると相手の評価を認めることになりますが、謙遜を表すことはできません。反対に、受け入れない返事は謙遜していることを伝えることはできますが、相手の評価を否定してしまうことになります。そのため、次のようなストラテジーを使って受け入れるかどうかをはっきり言葉にしないで返事をすることもあります。はっきり答えないといっても、受け入れに近いストラテジー（表の上部）から受け入れない返答に近いストラテジー（表の下部）までいろいろな種類があります。

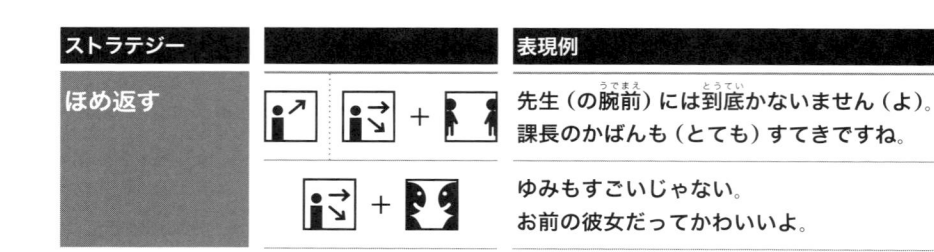

ストラテジー		表現例
ほめ返す		先生（の腕前）には到底かないません（よ）。 課長のかばんも（とても）すてきですね。
		ゆみもすごいじゃない。 お前の彼女だってかわいいよ。

ほかの人・物の おかげだと言う	🧍↑ 🧍↗ + 🧍	先生のおかげ（なん）です。 運がよかっただけ（なん）です。
	🧍↗ + 😀	友達にもらったんだ。 たまたまだよ。
経緯(けいい)を説明する	🧍↑ 🧍↗ + 🧍	最近買ったんです。 ずいぶん練習しました。
	🧍↗ + 😀	ネットで見つけたんだ。 実は去年から料理教室に通ってるんだ。
確認する	🧍↑ 🧍↗ + 🧍	そうですか。 本当ですか。
	🧍↗ + 😀	（え、）ほんと？ そう？
否定的な説明を する	🧍↑ 🧍↗ + 🧍	安物ですけど。 いやぁ、10年かかってやっとこの程度です。
	🧍↗ + 😀	すごく古いんだけどね。 でも全然もてないんだよね。

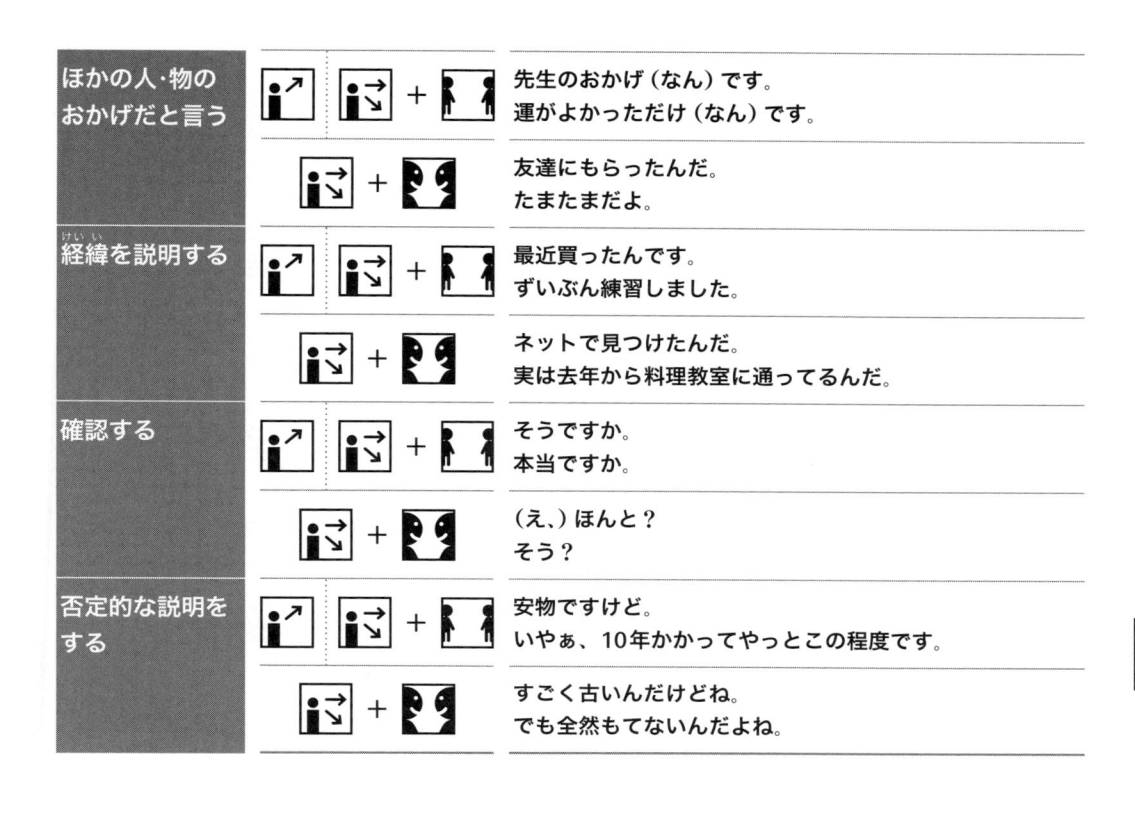

これらのストラテジーを組み合わせて使うこともできます。以下の例を見てみましょう。

例：

ルーカス……………そのかばん、いいね。
だいち………………そう？　　　　　　　　　　　　　　　　　確認する
　　　　　　　　　けっこう古いんだけどね。　　　　　　　　否定的な説明をする

　また、**1. ほめことばを受け入れるとき**（142ページ）、**2. ほめことばを受け入れないとき**（143ページ）で学んだストラテジーと組み合わせて使うこともできます。それによって、相手の評価に同意しながら謙遜(けんそん)を表したり、同意できない理由を説明したりすることができ、謙遜と同意のバランスが取れた返答になります。以下の例を見てみましょう。

例1：(1) 受け入れる＋(3) はっきり答えない
課長………………マラソン完走したんだって？！　すごいね！
ジェシカ…………ありがとうございます。　　　　　　　　　感謝(かんしゃ)する
　　　　　　　　今回は天候(てんこう)に恵(めぐ)まれたので。　　　　　ほかの人・物のおかげだと言う

例2：(2) 受け入れない＋(3) はっきり答えない

まさと：将棋、強いね！
ケビン：いや、たいしたことないよ。　　　　　同意しない
　　　　小さいころからチェスやってたから。　経緯を説明する

練習

相手との関係に注意して、はっきり答えない表現を考えましょう。
① あなたは、手に持っているかばんを先輩にほめられました。
② あなたが普段あまり着ない色の服を着ていると、友達にほめられました。
③ あなたは、ホームステイ先のお母さんに、折り紙が上手だとほめられました。

まとめの練習

相手との関係や自分がほめられてどう感じたかを考えて、どのような返事をするか決め、必要なストラテジーを組み合わせて答えましょう。

① あなたは、友達の家で料理を作りました。その料理を食べて、友達が言いました。
　友達：これ、すごくおいしい！
　あなた：

② あなたは日本語の勉強を毎日しています。ある日、日本語の先生からほめられました。
　先生：最近、勉強がんばってるね。
　あなた：

③ あなたは柔道の大会で優勝し、友達にほめられました。
　友達：優勝するなんて、ほんとすごいね。
　あなた：

■ 話してみよう

1. 「くわしく学ぼう」の会話1～3をペアになって練習しましょう。
2. 次の1～4の場面にもとづいて、短い会話をしましょう。

	役割		ほめの内容
	ほめる人	ほめられる人	
1	先生	学生	日本語のテスト
2	上司	部下	イベントの企画書
3	学生と学生（親しい）		着ている服
4	同僚と同僚（あまり親しくない）		会議でのプレゼンテーション

会話のヒント	日本人はほめことばを受け入れないの？

　「日本人はよく謙遜する。だから、日本人にほめられたときには、謙遜の気持ちを表すために、ほめことばを受け入れないほうがよい。」あなたはこんなイメージを持っていませんか。

　残念ながら、このステレオタイプは正しくありません。日本人だって、いつもほめことばを受け入れないわけではないのです。ほめてくれた相手やほめられたものなどによって、答え方は変わります。例えば、あまり上手にできなかった発表を先生にほめられたときには「いえいえ、そんなことありません。」と謙遜するのが普通ですが、友達から気に入っている洋服をほめられたときには「ありがとう！　私も気に入っているんだ。」と積極的に受け入れることもよくあります。日本に住んでいる人は、ぜひ周りの日本人をよく観察してみてください。

会話のヒント	ほめことばを受け入れないときには、使う表現に注意

　ほめことばを受け入れないときには、強すぎる表現を避ける必要があります。ポイントは、①「いいえ」を使わない、②反意語（反対の意味の言葉）を使わない、③「そうではない」を使わない、④ほめことばで使われた形容詞を否定しない、の4点です。以下の例1（a）～例3（a）を見てください。

例1（a）：
先生……………マリアさんは、字が上手ですね。
マリア…………いいえ、下手です。

例2(a):
まき……………ティナ、頭いいね。
ティナ…………ううん、そうじゃないよ。

例3(a):
さとる…………アンリの作ったカレー、おいしいね。
アンリ…………いや、おいしくないよ。

　例1(a)では、「いいえ」を使い、さらに「上手な」の反意語「下手な」を使っています。例2(a)では、「そうじゃない」が使われています。例3(a)では、ほめことばで使われた「おいしい」を否定する「おいしくない」を使っています。これらは相手の言ったことを強く否定する表現なので、「あなたの評価や意見はまちがっている」というメッセージが伝わり、とても失礼に聞こえてしまうのです。
　では、どうしたらよいでしょうか。①「いいえ」のかわりに使う言葉は、**くわしく学ぼう　2．ほめことばを受け入れないとき**（143ページ）で学びましたね。②③④の表現のかわりに使える便利な表現は、「そんなこと（は）ない」です。また、④の場合は、ほめことばで使われた形容詞を否定する言葉の前に「そんなに」を入れるとやわらかい言い方になり、失礼ではなくなります。以下の例1(b)～例3(b)を例1(a)～例3(a)と比べてみてください。

例1(b):
先生……………マリアさんは、字が上手ですね。
マリア…………いえ、そんなことはありません。

例2(b):
マキ……………ティナ、頭いいね。
ティナ…………ううん、そんなことないよ。

例3(b):
さとる…………アンリの作ったカレー、おいしいね。
アンリ…………いや、そんなにおいしくないよ。

セクション3　総合練習

　最後に、「ほめる－ほめことばに答える」やり取りを含んだ長い会話を聞いたり、話したりする練習をしましょう。

■ 聞いてみよう

1. 会話を聞いて、次の問題に答えましょう。　🅾 トラックNo.71

① どんなことをほめましたか。

［1］

［2］

② ほめられた人は、どうしましたか。

③ 会話のスクリプト（161ページ）を見て、二人の関係に注意しながら、「ほめる－ほめことばに答える」で使われた表現を確認しましょう。

2. 会話を聞いて、次の問題に答えましょう。　🅾 トラックNo.72

① どんなことをほめましたか。

［1］

［2］

［3］

② ほめられた人は、どうしましたか。

③ 会話のスクリプト（162ページ）を見て、二人の関係に注意しながら、「ほめる－ほめことばに答える」で使われた表現を確認しましょう。

■話してみよう

このユニットで学んだことを活用して、ロールプレイをしましょう。

1.
① ペアを組んで、一人はAの役、もう一人はBの役をしてください。Aの役の人は179ページのロールカード1Aを、Bの役の人は180ページのロールカード1Bを見てください。（相手のカードは見ないでください。）

② Aの役の人はBの役の人をほめます。Aの役の人から話し始め、ロールカードに書かれた情報をできるだけ多く取り入れて、やり取りを続けてください。

2.
① ペアを組んで、一人はAの役、もう一人はBの役をしてください。Aの役の人は179ページのロールカード2Aを、Bの役の人は180ページのロールカード2Bを見てください。（相手のカードは見ないでください。）

② Aの役の人はBの役の人をほめます。Aの役の人から話し始め、ロールカードに書かれた情報をできるだけ多く取り入れて、やり取りを続けてください。

ユニット1　許可を求める

会話1　トラックNo.8

状況: ダニエラは友達のともきに話しかけました。

ダニエラ……ねぇねぇ、前にともきのうちに呼んでもらったとき、バーベキューしたよね。
ともき………ああ、去年の春やったやつね、うん。
ダニエラ……あのときのバーベキューセットってまだある？
ともき………あるよ。ガレージでほこりかぶってるはずだけど。
ダニエラ……それ、今度の日曜日借りてもいいかな。
ともき………うん、別に問題ないと思うけど…。
　　　　　　　じゃあ土曜の午後にでも取りに来てよ。俺うちにいるからさ。
ダニエラ……よかった、ありがとう！　あとさぁ…。
ともき………なんだよ。
ダニエラ……コップとかお皿とかも貸してもらえると嬉しいんだけどなぁ…、あとできれば炭と着火剤とイスとテーブルも。
ともき………はぁ？　それって全部じゃん。ダニエラ、まさかうちの庭でバーベキューするつもりじゃないだろうな。
ダニエラ……あ、実はね、それ次に頼もうと思ってたんだ。今度の日曜日、お庭貸してもらってもいい？
ともき………マジかよ…。（ため息）うちの親がいいって言ったらだぞ。

会話2　トラックNo.9

状況: ファジルは会社のフットサルチームに所属しています。キャプテンは、先輩の遠藤です。練習試合の前日、ファジルは遠藤に話しかけました。

ファジル……あの、遠藤さん、急ですみません。あしたなんですが、休ませていただいてもいいですか。
遠藤…………えっ、どうしたの？
ファジル……実は、今朝起きたら腰が痛くて、激しい運動ができる状態じゃないんですよ。
遠藤…………えー、でもあしたはうちのチーム、人数ぎりぎりなんだよなぁ。
ファジル……高校でサッカーやってた友達が何人かいるので、声かけて来てもらおうと思ってます。
遠藤…………あっじゃあ頼むよ。で、あしたは見学にも来ないの？
ファジル……僕はできれば家で休ませていただきたいんですが…。
遠藤…………まあ腰痛なら仕方ないよね。わかった。
ファジル……ご迷惑かけてすみません。

遠藤　　　　いや、いいよ。それより病院行かなくていいの？
ファジル　　全く動けない訳ではないので、もうちょっと様子を見ようかと…。
遠藤　　　　そっか。まぁ、とにかくお大事に。
ファジル　　ありがとうございます。じゃあ代わりのメンバーがつかまったらすぐに連絡します。
遠藤　　　　よろしくー。

ユニット2　依頼する

会話1　トラックNo.17

状況：リュウは会社員です。昼休みに同じ課の先輩の中村に話しかけました。

リュウ　　　中村さん、今ちょっといいですか。
中村　　　　うん、何？
リュウ　　　実はご相談したいことがあるんですけど、今晩付き合っていただけませんか。
中村　　　　今日？
リュウ　　　はい、できれば早いほうが…。
中村　　　　いやぁ、今晩はもう約束が入ってるから無理だな。
リュウ　　　あっ、そうでしたか。
中村　　　　うん、悪いね。
リュウ　　　いえ、こちらこそ急にすみません。
中村　　　　あしただったら大丈夫だけど、今日でなきゃだめ？
リュウ　　　いえ、それじゃああした、お願いできますか。
中村　　　　もちろんいいよ。
リュウ　　　ありがとうございます。じゃあお店をどこか予約しておきます。あした、よろしくお願いします。

会話2　トラックNo.18

状況：スジンとゆきこは同じ学生寮で暮らしていて、普段から親しくしています。スジンはゆきこの部屋を訪ねました。

スジン　　　（ドアをノックする）
ゆきこ　　　はーい！
スジン　　　おはよう。ちょっと入ってもいいかな？
ゆきこ　　　あっ、うん。どうぞどうぞ。どうしたの？
スジン　　　実はお願いがあって。
ゆきこ　　　なぁに？

スジン………来週の日本史のテストだけど、私、2回授業を休んじゃったから、持っていないプリントがあるみたいなんだ。
ゆきこ………そっか、私のコピーさせてあげようか。
スジン………いい？
ゆきこ………うん、いいよ。ちょっと待ってね。
スジン………うん。
ゆきこ………（プリントを探す）
あったあった。はい。これで全部だよ。
スジン………ありがとう！　コピー終わったらすぐ返しに来るね！
ゆきこ………はーい！

ユニット3　謝罪する

会話1　トラックNo.26

状況：スーザンは月曜日と木曜日にケーキ屋でアルバイトをしています。木曜日のアルバイト中に、お客さんがやってきました。

客………あの、ちょっとすみません。
スーザン……はい、いらっしゃいませ。
客………あのね、昨日ここでベークドチーズケーキを2個買ったんだけど、家に帰って箱を開けてみたら、レアチーズケーキが入っていたのよ。ほら！
（箱の中を見せる）
スーザン……あ、それは大変申し訳ありませんでした。
客………私、レアチーズは嫌いだから絶対頼まないのに。
スーザン……はい、申し訳ございません。
客………その時のレシート持ってきたんだけど…。ほら、これ。
（スーザンにレシートを手渡す）
スーザン……確かにベークドチーズケーキをお買い上げいただいてますね。すみませんでした。ご返金させていただきます。
客………わかればいいのよ。これから気をつけてね。
スーザン……この度はご迷惑をおかけして申し訳ありませんでした。

会話2　トラックNo.27

状況：ダミアンとフランツはクラスメイトで、明日の授業で一緒にグループ発表することになっています。今日は発表直前の大事なミーティングでしたが、ダミアンは30分遅刻した上に、自分が準備してこなければいけなかった資料を作ってきませんでした。

フランツ……やってきてないってどういうことだよ？　ありえない。
ダミアン……いや、どうせみんなもやってきてないだろうと思ったし、バイト忙しくて…。
フランツ……言い訳するなよ。むかつくなぁ。
ダミアン……そんな怒るなよ。なんとかなるでしょ。
フランツ……なんとかなる訳ないだろ。どうすんだよ、あした発表なんだぞ！
ダミアン……そりゃあ、悪かったと思ってるよ。
フランツ……だいたいさぁ、今日何で遅刻したんだよ。
ダミアン……いや、ちょっと……寝坊？
フランツ……お前みたいないいかげんなやつのせいで、みんなが迷惑してんだよ。
ダミアン……ごめん。
フランツ……お前のせいで、グループ全員の成績が下がったらどうしてくれるんだ。
ダミアン……だから、ごめんて。
フランツ……謝って済む問題じゃないだろ。いったいどうすんだよ？
ダミアン……申し訳ない。

ユニット4　誘う

会話1　　トラックNo.35

状況：トゥイは、日本語学校の学生です。ある日、先生に話しかけました。
トゥイ………先生、ちょっとよろしいですか。
先生…………あ、はい。どうしましたか。
トゥイ………あの、今度の水曜日なんですが、うちのクラスのレスティさんが大学のサークルの人たちと一緒にお芝居をやるそうなんです。
先生…………へぇ、そうなの。
トゥイ………それで、私たち見に行こうと思っているのですが、先生もよろしかったらいらっしゃいませんか。
先生…………場所はどこですか。
トゥイ………下北沢の小さな劇場を借りてやるそうです。
先生…………私は水曜日は5時まで授業があるんですけど、間に合うかなぁ。
トゥイ………あっ、確か夜7時開演のはずなので大丈夫だと思います。
先生…………それなら行ってみたいですね。詳しい場所を教えてもらえますか。
トゥイ………はい、このチラシに書いてありますのでどうぞ。
先生…………あ、ありがとう。じゃあ、私は直接劇場に行きますね。
トゥイ………はい、お待ちしてます！

会話2　トラックNo.36

状況：ジンイーは友達のみちこに話しかけました。
ジンイー……ねぇ、今度の週末空いてるよね？！
みちこ………えっ、何？
ジンイー……高尾山(たかおさん)に行かない？
みちこ………えー、この暑いのに？　やだよ。
ジンイー……そんなこと言わないで、行こうよ。
みちこ………なんでまた高尾山なの？　スカイツリーより標高(ひょうこう)低いんだよ。
ジンイー……すごいパワースポットなんだって。最近ついてないみちこにぴったりだよ！
みちこ………あのねぇ…。
ジンイー……おまけに頂上の神社は恋愛成就(れんあいじょうじゅ)のご利益(りやく)があるってテレビでやってたから、私行きたいんだ。ね、一緒に行こう？
みちこ………えー、気が進まないなぁ。
ジンイー……家でゴロゴロしてるより健康的だし、行こうよー。
みちこ………もうしつこいなー。
ジンイー……ねえ、いいでしょ？
みちこ………うーん…。週末の天気予報見てからもう一回考える。
ジンイー……じゃあ晴れたら高尾山ね！
みちこ………考えとくわ。

ユニット5　申し出をする

会話1　トラックNo.44

状況：ペテルは学校の帰りに、重そうな荷物を持って階段を上ろうとしているおばあさんを見つけました。
ペテル…………あの、すみません。
おばあさん……はい？
ペテル…………よかったら上までお荷物お持ちします。
おばあさん……えっ？　あ、どうぞご心配なく。
ペテル…………いや、でも、重そうですから手伝います。
おばあさん……そう？　でも悪いし、急いでらっしゃるんじゃない？
ペテル…………大丈夫(だいじょうぶ)ですよ。
おばあさん……本当にいいの？
ペテル…………もちろんです。
おばあさん……じゃあ、おことばに甘えて、お願いしようかしら。

ペテル……………はい。じゃあお預かりします。
　　　　　　　（二人で階段を上る）
おばあさん……それにしても若いのに、感心ねー。日本語もとってもお上手だし。
ペテル……………ありがとうございます。
　　　　　　　（階段を上りきる）
ペテル……………あっ、着きましたので僕はここで。
おばあさん……あぁ、ありがとうね、お兄さん。
ペテル……………あ、いえ、どういたしまして。

会話2　トラックNo.45

状況：ファティマは、友達のひろきと話しています。
ファティマ……ねぇ、ひろき、聞いてよ。昨日うちのヒーター壊れちゃって、
　　　　　　　もう最悪なんだけど。
ひろき……………えーっ、ほんとに？
ファティマ……もう寒くて死ぬかと思ったよ。
ひろき……………大変だったね。新しいヒーター買うの？
ファティマ……ううん、修理に出した。でも2週間かかるって言われちゃった。
ひろき……………それなら、うちに使ってないヒーターがあるから貸してあげるよ。
ファティマ……えっ、いいの？
ひろき……………もちろん。今日の夕方、車で持ってってあげるよ。
ファティマ……あっ、でもそれは悪いからいいよ。
ひろき……………え、どうして？　さっき寒くて死にそうって言ってたじゃない。
ファティマ……う、うん、でも本当に大丈夫だから。
ひろき……………遠慮するなんて、珍しいじゃん。俺は本当に平気だから、今夜持ってくよ。
　　　　　　　家で待ってて。
ファティマ……うーん…。えっと…、実は今、部屋が超汚いんだぁ…。
ひろき……………なんだ、そんなこと気にしてたの。じゃあ、部屋の前までしか行かないから。
ファティマ……ごめんね。助かる！

ユニット6　助言する

会話1　トラックNo.53

状況：コスタスは、せきが止まらなくなったので、病院で検査をしてもらいました。
医者………………えーと、パパ…ドスさん？
コスタス………あ、名字はパパドプロスと読みます。でも名前のコスタスで結構です。

医者············すみません。ではコスタスさん、検査の結果ですが、軽いCOPDの症状が見られます。簡単に言うと、肺が炎症を起こして、その状態が続いてしまう病気です。
コスタス······え、先生、それって治るんですか。
医者············そうですね、コスタスさんの場合、まだごく初期の段階なので、お薬でよくなると思います。ただし禁煙はしたほうがいいですよ。
コスタス······えっ、タバコ、やめなきゃだめですか…。
医者············ええ。この病気の場合、タバコを吸わないのが一番の薬です。今までに禁煙したことはありますか。
コスタス······いえ、ありません。
医者············そうですか。では禁煙外来を紹介しますから、帰りに寄っていってはどうですか。
コスタス······うーん…。
医者············コスタスさんはまだお若いですから、将来のことを考えると、タバコはやめるべきでしょうね。
コスタス······(ため息)わかりました。これから禁煙外来に行ってきます。
医者············はい。じゃあ、経過を見ますから、1週間後にまた来院してください。
コスタス······はい。ありがとうございました…。
医者············お大事に。

会話2　トラックNo.54

状況：ハオユーは日本で就職活動中です。今日は就職活動についてのアドバイスをもらうため、大学の卒業生で電機メーカーに勤めるグエンのもとを訪れています。
ハオユー······あっ、あともう一つお伺いしてもよろしいですか。
グエン·········構わないですよ。なんですか。
ハオユー······英語の資格に関してなんですが、やっぱりTOEFLとかTOEICとか受けておいたほうがいいですか。
グエン·········職種にもよると思うけど…。ハオユーくん、英語は得意なんですか。
ハオユー······あ、はい、得意なほうだと思います。
グエン·········それなら受けてみて、結果がよかったらスコアを提出したらいいんじゃないかな。日本の会社しか受けないなら、TOEICだけで十分だと思いますよ。
ハオユー······わかりました。じゃあ、TOEIC受けてみます。あと、僕は将来的には実家に近い上海の工場で働きたいと思ってるんですけど、そのことをはっきり伝えてもいいんでしょうか。
グエン·········うーん、ほかの会社ではどうかわからないけど、うちの会社の面接では自分から言わないほうがいいと思いますよ。

ハオユー……あっ、そうなんですか。
グエン………うん。まあそういう質問をされたら答えても問題ないと思うけど、上海以外で働くつもりがないように聞こえてしまうと不利だからね。
ハオユー……わかりました。勤務地の希望を言うときには気を付けます。今日はとても勉強になりました。ありがとうございました。
グエン………頑張ってくださいね。

ユニット7　不満を伝える

会話1　トラックNo.62

状況：ソム・ポンはタイ人留学生です。姉の結婚式に出席するため、バンコク行きのチケットを3か月前から予約していました。出発日が近づいてきたので、予約をした旅行代理店にチケットを受け取りに来ました。

スタッフ……今お調べしましたら、お客様の出発日は1月11日ではなく、7月11日となっております。
ソム・ポン…えっ、どういうこと？！　僕は確かに1月11日で予約しましたよ。すぐ変更してください。
スタッフ……それが…、1月11日の同じ便はすでに満席でございまして。こちらの確認不足で申し訳ありません。
ソム・ポン…謝るより、何とかしてください。僕はどうしてもこの日程で帰国しなきゃならないんです。困ります。
スタッフ……申し訳ございません。すぐにキャンセル待ちを入れさせていただきます。
ソム・ポン…キャンセル待ちなんて、そんな！　だれもキャンセルしなかったらどうするんですか！
スタッフ……はい…。あの、所要時間は長くなってしまいますが、インチョン経由でしたらまだ空席がございますが…。
ソム・ポン…それって11日にバンコクに着くんですか。
スタッフ……はい。バンコク到着が22時30分となっております。
ソム・ポン…じゃあ確実なほうがいいから、そっちにします。
スタッフ……かしこまりました。ただいますぐにご用意いたしますので、お待ちください。

会話2　トラックNo.63

状況：ヘリョンとこうじはバイト仲間です。ヘリョンはインフルエンザにかかってしまい、バイトに行けなくなってしまいました。そこで、同じ日にシフトに入っていたこうじに、病欠することをバイト先に伝えてほしいとお願いしました。翌週、バイトが終

わったヘリョンはこうじに電話しました。
ヘリョン……もしもし、こうじ？
こうじ………あ、ヘリョン？　インフルエンザ治ったんだ。よかったね。
ヘリョン……そんなことより、私、今日店長に「もう無断欠勤しないでよ」って言われたんだけど！
こうじ………えっ、なんのこと？
ヘリョン……私がインフルエンザで休むってこと、店長に伝えてくれるはずだったよね？
こうじ………あっ、やべ。忘れてた。
ヘリョン……ええー！　無断欠勤だと思われちゃったじゃない！
こうじ………ごめん、ごめん。
ヘリョン……今から本当のこと言っても、信じてもらえないかも…。
こうじ………大丈夫だよ。次のシフトのとき、僕からちゃんと説明しとくから。
ヘリョン……本当に？
こうじ………うん。ちゃんと僕が忘れたせいだって言うから安心して。
ヘリョン……絶対だよ。
こうじ………うん、わかった。ごめんね、ヘリョン。

ユニット8　ほめる

会話1　トラックNo.71

状況：マノンは家を出たところ、近所に住む主婦の山田に話しかけられました。
山田…………こんにちは、マノンさん。
マノン………あっ、こんにちは！　山田さん、そういえばこの間息子さんに、車から荷物を降ろすのを手伝っていただいたんです。
山田…………あら、つよしに？
マノン………ええ、ミネラルウォーターをまとめ買いしたときだったんですけど。本当に助かりました。優しい息子さんですね。
山田…………そうですか。
マノン………そういえば、図書館で勉強されているのもよくお見かけしますよ。えらいですね。
山田…………まあ浪人生なんだから、ちゃんと勉強してもらわないと。
マノン………でも予備校にも通われてるんですよね。
山田…………ええ、一応。予備校が休みの日は図書館で勉強しているようなんですけど。
マノン………すごいですね！　きっと合格間違いなしですよ。
山田…………でもあの子は本番に弱いタイプだから、親としては心配で…。
マノン………そうなんですか。

山田……………ええ、本当に毎年毎年もうちょっとのところで届かなくて…。
マノン…………え…？
山田……………実はあの子、4浪中で次が5回目の大学受験なんですよ。お恥ずかしいんですけど…。
マノン…………えっ。あ、でも次は大丈夫ですよ、きっと！

会話2　トラックNo.72

状況：ロシア人留学生のユリアは日本語の先生と話しています。
先生……………ユリアさんは、日本語の上達がとても早いですね。
ユリア…………いえ、そんなことないです。私なんてまだまだです。
先生……………敬語だって、最近の日本人の学生よりずっと上手ですよ。
ユリア…………そうですか。ありがとうございます。嬉しいです。
先生……………そういえば、ほかにも韓国語や中国語も勉強してるんだって？
ユリア…………はい。あと最近、マレー語も始めました。
先生……………すごいですね。
ユリア…………いえ、どれもまだまだ勉強不足で…。
先生……………そんなに何か国語も勉強するなんて、将来は貿易関係の仕事でもするんですか。
ユリア…………いえ、私は諜報員を目指しています。
先生……………えっ？　スパイですか？！　…それは日本国民として日本語を教えていいものか迷いますね。
ユリア…………冗談です、先生。本当は卒業したら、外交官になりたいと思っています。
先生……………あっ、そうなの。いやぁ、びっくりした！　日本語で冗談が言えるくらいですから、きっとなれますよ。

セクション 3

総合練習

話してみよう

ロールカード

ユニット1:許可を求める

ロールカード 1A

役割: あなたは、学生です。Bは、3ヶ月前からあなたの友達です。
状況: あなたは今、Bと一緒にお昼ご飯を食べています。
許可を求める内容: Bの部屋に遊びに行くこと

重要な情報: あなたは月曜日の夜と土曜日が空いています。

(1) Bの部屋に遊びに行く許可を求めましょう。
(2) Bが許可をしたら、日時を決めてください。Bが許可しなかったり、はっきり答えなかったときは、Bが許可してくれるように説得してください。

ロールカード 2A

役割: あなたは、会社員です。Bは、あなたの上司（じょうし）です。
状況: 今は午後1時です。あなたは、会社で仕事をしています。
許可を求める内容: 今日の午後の会議を欠席すること

重要な情報: あなたは、午後3時から4時まで会議に出る予定が入っています。
会議では、あなたとBが担当しているプロジェクトの報告をしなければなりません。
あなたは、その報告をBがしてくれると思っています。
あなたは、大切な取引先の会社から急に呼び出され、どうしても3時に行かなければなりません。

(1) Bに、会議を欠席する許可を求めましょう。
(2) Bが許可しなかったり、はっきり答えなかったときは、Bが許可してくれるように説得してください。

ユニット1：許可を求める

ロールカード 1B

役割： あなたは、学生です。Aは、3ヶ月前からあなたの友達です。

状況： あなたは今、Aと一緒にお昼ご飯を食べています。

重要な情報： あなたはアパートで1人暮らしです。
あなたは最近、部屋の掃除をしていません。
あなたは月曜日・水曜日・金曜日は夜に、日曜日は1日中アルバイトをしています。

（1）Aの言ったことを聞き、許可するかどうか決めて、返事をしてください。
（2）あなたの返事を聞いてAが言ったことに対して、さらに答えてください。

ロールカード 2B

役割： あなたは、会社員です。Aは、あなたの部下です。

状況： 今は午後1時です。あなたは、会社で仕事をしています。

重要な情報： あなたは、午後3時から4時まで会議に出る予定が入っています。
会議では、あなたとAが担当しているプロジェクトの報告をしなければなりません。
あなたは、その報告をAからしてもらおうと思っています。

（1）Aの言ったことを聞き、会議に出席するように説得してください。
（2）あなたの返事を聞いてAが言ったことに対して、さらに答えてください。

ユニット2：依頼する

ロールカード 1A

役割： あなたは、初めて東京に来た観光客です。Bは、知らない通行人です。
状況： あなたは今、羽田空港の1階到着ロビーにいます。
Bが目の前を通りました。
依頼する内容： 羽田空港から秋葉原駅までの行き方を教えてもらうこと
重要な情報： あなたは今、羽田空港に着いたところです。
あなたは、東京の交通機関についてよく知りません。
あなたは、秋葉原駅の近くにあるホテルに泊まることになっています。
あなたは、秋葉原で買い物をしたいと思っています。

（1）Bに話しかけて、依頼しましょう。
（2）Bが引き受けなかったり、はっきり答えなかったときは、案内所の場所を聞きましょう。

ロールカード 2A

役割： あなたは、学生です。Bは、あなたの世界史のクラスの先生です。
状況： 授業の後、Bのところに話しに来ました。
依頼する内容： わかりやすい日本史の本を教えてもらうこと
重要な情報： あなたは、日本史を勉強したくなりました。
あなたは、わかりやすい本を探しています。

（1）Bに話しかけて依頼しましょう。
（2）Bが引き受けなかったり、はっきり答えなかったときは、Bが引き受けてくれるように説得してください。

ユニット2：依頼する

ロールカード 1B

役割： あなたは、東京に住んでいる会社員です。Aは、知らない通行人です。

状況： あなたは今、羽田空港の1階到着ロビーにいます。
あなたは、Aの目の前を通りました。

重要な情報： あなたは今、とても急いでいます。
あなたは、東京の交通機関についてよく知っていて、秋葉原にも何度も行ったことがあります。
羽田空港から秋葉原に行くには、東京モノレールで浜松町駅まで行き、JR山手線に乗り換えます。
羽田空港の案内所は地下1階にあり、東京の交通案内のパンフレットがあります。

（1）Aの言ったことを聞き、依頼を引き受けるかどうか決めて、返事をしてください。
（2）あなたの返事を聞いてAが言ったことに対して、さらに答えてください。

ロールカード 2B

役割： あなたは、世界史の先生です。Aは、あなたのクラスの学生です。

状況： 授業の後、Aがあなたのところにやって来ました。

重要な情報： あなたは、日本史についてはよく知りません。
あなたは、図書館での本の探し方を知っています。
あなたは、知り合いに日本史の先生がいます。

（1）Aの言ったことを聞き、依頼を引き受けるかどうか決めて、返事をしてください。
（2）あなたの返事を聞いてAが言ったことに対して、さらに答えてください。

ユニット3:謝罪する

ロールカード 1A

役割: あなたは、Bのルームメイトです。

状況: 今は午前11時です。あなたは起きて、キッチンに水を飲みに来たところです。

謝罪する内容: 今朝、ごみを出し忘れたこと

重要な情報: あなたとBはごみを出す当番を決めています。あなたは今朝ごみを出す当番でしたが、寝過ごしてしまいました。
ごみ収集車は朝9時に来ます。
あなたは、今までに何度もごみを出し忘れたことがあります。
あなたが出し忘れたごみ袋から、生ごみのひどい臭いがしています。

(1) Bの話を聞いて、Bに謝罪しましょう。
(2) Bが謝罪を受け入れなかったときは、許してもらえるまで謝罪してください。

ロールカード 2A

役割: あなたは、デパートの店員です。Bは、お客さんです。

状況: あなたは洋服売り場にいます。Bがやって来たところです。

謝罪する内容: Bの買った商品が不良品だったこと

重要な情報: あなたの売り場では、不良品は代金を返すか、新しいものと交換しています。
同じ商品を取り寄せるには1週間かかります。

(1) Bの話を聞いて、謝罪し、Bの希望を聞きましょう。
(2) Bの言ったことを聞き、答えてください。

ユニット3:謝罪する

ロールカード 1B

役割: あなたは、Aのルームメイトです。

状況: 今は午前11時です。あなたは、キッチンにいます。Aがキッチンにやってきました。

重要な情報: あなたとAはごみを出す当番を決めています。あなたはキッチンで、今朝捨てるはずの生ごみの入ったごみ袋を見つけました。
そのごみ袋から、生ごみのひどい臭いがしています。
今朝ごみを出す当番だったのはAです。
Aは、今までに何度もごみを出し忘れたことがあります。

(1) Aに話しかけて不満を伝えましょう。
(2) Aの言ったことを聞き、答えてください。
(3) あなたの返事を聞いてAが言ったことに対して、さらに答えてください。

ロールカード 2B

役割: あなたは、デパートで買い物をしたお客さんです。Aは、洋服売り場の店員です。

状況: あなたは洋服売り場にいる、Aのところにやって来ました。

重要な情報: あなたは昨日このデパートでジャケットを買いましたが、袖のボタンが取れていました。
あなたは、そのジャケットをとても気に入りました。
あなたはそのジャケットを明後日のパーティーに着て行きたいと思っています。

(1) Aに話しかけましょう。
(2) Aの言ったことを聞き、答えてください。
(3) あなたの返事を聞いてAが言ったことに対して、さらに答えてください。

ユニット4：誘う

ロールカード 1A

役割： あなたは、会社員です。Bは、あなたの上司です。
状況： あなたは会社にいます。今は昼休みです。
誘う内容： あなたの新居に遊びに来ること

重要な情報： あなたは先月結婚し、新しいマンションに引っ越しました。
　　　　　　　Bはあなたの結婚式でお祝いのスピーチをしてくれました。
　　　　　　　あなたは、近いうちにBを家に招きたいと思っています。
　　　　　　　あなたは、あなたの国の料理を作り、Bに食べてもらいたいと思っています。

（1）Bを誘いましょう。
（2）Bが誘いを断ったり、すぐには答えなかったときは、さらに誘ってください。

ロールカード 2A

役割： あなたは、会社員です。Bは、親しい同僚です。
状況： あなたは、会社にいます。今は会社の昼休みです。
誘う内容： 来週の木曜日、オペラの公演に行くこと

重要な情報： Bはクラシック音楽が好きです。
　　　　　　　そのオペラでは、世界的に有名な歌手が主役として出演します。
　　　　　　　その歌手の公演は、日本ではもう見られないかもしれません。
　　　　　　　そのオペラのチケット代は1枚5万円です。

（1）Bを誘いましょう。
（2）Bが誘いを断ったり、すぐには答えなかったときは、さらに誘ってください。

ユニット4:誘う

ロールカード 1B

役割: あなたは、会社員です。Aは、あなたの部下です。

状況: あなたは、会社にいます。今は昼休みです。

重要な情報: Aは先月結婚し、新しいマンションに引っ越しました。
あなたは、Aの結婚式でお祝いのスピーチをしました。
あなたは今月はとても忙しいです。
あなたは来月以降なら時間があります。

(1) Aの言ったことを聞き、誘いを受けるかどうか決めて、返事をしてください。
(2) あなたの返事を聞いてAが言ったことに対して、さらに答えてください。

ロールカード 2B

役割: あなたは、会社員です。Aは、親しい同僚です。

状況: あなたは、会社にいます。今は会社の昼休みです。

重要な情報: あなたは、クラシック音楽が好きです。
あなたは、今、給料日前でお金があまりありません。
あなたは、来週の木曜日は仕事で遅くなるかもしれません。

(1) Aの言ったことを聞き、誘いを受けるかどうか決めて、返事をしてください。
(2) あなたの返事を聞いてAが言ったことに対して、さらに答えてください。

ユニット5：申し出をする

ロールカード 1A

　　　　役割：　あなたは学生です。Bは、親しい友達です。
　　　　状況：　あなたは今、Bに電話をかけたところです。
申し出をする内容：　Bの手伝いをすること

　　重要な情報：　Bは、インフルエンザで寝込んでいます。
　　　　　　　　　Bは、アパートにひとりで住んでいます。

(1) Bに困っていることがないか聞きましょう。
(2) Bの返事を聞いて、手伝いを申し出ましょう。
(3) Bにほかに困っていることがないかをたずねて、手伝いを申し出ましょう。

ロールカード 2A

　　　　役割：　あなたは会社員です。Bは、あなたの先輩です。
　　　　状況：　あなたは今、会社にいます。Bに話しかけたところです。
申し出をする内容：　Bの手伝いをすること

　　重要な情報：　Bは、会社の花見会の幹事です。
　　　　　　　　　あなたは上司から、できる範囲でBの手伝いをするように言われています。
　　　　　　　　　あなたは、花見会当日の午前中は仕事で忙しいですが、午後は空いています。
　　　　　　　　　あなたは、花見会に参加するのは初めてで、どのような仕事があるのかわかりません。

(1) Bに花見会で手伝えることがないか聞きましょう。
(2) Bの返事を聞いて、できる範囲で手伝いを申し出ましょう。
(3) Bにほかに困っていることがないか聞いて、手伝いを申し出ましょう。

ユニット5：申し出をする

ロールカード 1B

役割： あなたは学生です。Aは、親しい友達です。

状況： 今、Aからあなたに電話がかかってきたところです。

重要な情報： あなたは、インフルエンザで寝込んでいます。
あなたは、アパートにひとりで住んでいます。
あなたは、外に出られないのでとても退屈しています。
家には食料がほとんどありません。
洗濯物がたまっていますが、具合が悪くて洗濯できません。

(1) Aの言ったことを聞き、答えてください。
(2) Aの言ったことを聞き、申し出を受け入れるかどうか決めて、返事をしてください。
(3) あなたの返事を聞いてAが言ったことに対して、さらに答えてください。

ロールカード 2B

役割： あなたは会社員です。Aは、あなたの後輩です。

状況： あなたは今、会社にいます。Aに話しかけられたところです。

重要な情報： あなたは、会社の花見会の幹事です。
朝から場所取りをしてくれる人が誰もいないので、とても困っています。
午後に飲み物の買い出しに行ってくれる人の数が足りません。
花見会の後片付けを手伝ってくれる人の数が足りません。

(1) Aの言ったことを聞き、答えてください。
(2) Aが手伝えると言ったことを、やってくれるように頼んでください。
(3) あなたの返事を聞いてAが言ったことに対して、さらに答えてください。

ユニット6：助言する

ロールカード 1A

役割： あなたは、会社員です。Bは、会社の先輩です。
状況： あなたは、Bと和食レストランに来たところです。
助言する内容： Bが何を注文すればよいか

重要な情報： あなたは、日本食にくわしいです。
Bは、日本食をあまり食べたことがありません。
あなたのおすすめの料理は次の通りです。
肉料理…焼き肉定食（1,500円）、カツ丼（700円）
魚料理…うな重（2,500円）、まぐろ丼（1,000円）
麺類…天ぷらそば（1,300円）、カレーうどん（500円）

(1) Bに、どのくらいお腹がすいているか聞きましょう。
(2) Bがあまりお腹がすいていないと言ったら、おすすめの麺類を選んで助言しましょう。
Bがお腹がすいていると言ったら、肉と魚のどちらが好きか聞き、おすすめの料理を選んで助言しましょう。

ロールカード 2A

役割： あなたは、会社員です。Bは、親しい同僚です。
状況： あなたは、Bと居酒屋に来ています。
助言する内容： Bが引っ越しをしたほうがよいこと

重要な情報： Bはアパートにひとりで暮らしています。
Bの今のアパートからだと、通勤に1時間半かかります。
Bは最近、営業部に異動になり、残業が増えました。
Bが残業と長い通勤時間のせいでとても疲れていることを、あなたは心配しています。

(1) Bの話を聞き、助言しましょう。
(2) Bが助言を受け入れた場合は、どのような場所に引っ越すとよいか助言しましょう。
Bが助言を受け入れなかった場合は、Bが引っ越しをするよう、さらに勧めてください。

ユニット6:助言する

ロールカード 1B

役割： あなたは、会社員です。Aは、会社の後輩(こうはい)です。
状況： あなたは、Aと和食レストランに来たところです。

重要な情報： Aは、日本食にくわしいです。
あなたは、日本食をあまり食べたことがありません。
あなたの財布には、2,000円しか入っていません。

（1）Aの言ったことを聞き、答えてください。
（2）Aの言ったことを聞き、助言を受け入れるかどうか決めて、返事をしてください。

ロールカード 2B

役割： あなたは、会社員です。Aは、親しい同僚(どうりょう)です。
状況： あなたは、Aと居酒屋に来ています。

重要な情報： あなたはアパートにひとりで暮らしていますが、引っ越しすべきかどうか悩んでいます。
あなたの今のアパートからだと、通勤に1時間半かかります。
あなたは最近、営業部に異動(いどう)になり、残業が増えました。
あなたのアパートの近くには、夜遅くまで開いているスーパーがありません。
今のアパートは広くてきれいなので、あなたはとても気に入っています。

（1）Aに悩みを相談しましょう。
（2）Aの言ったことを聞き、助言を受け入れるかどうか決めて、返事をしてください。
（3）Aの言ったことを聞き、さらに返事をしてください。

ユニット7:不満を伝える

ロールカード 1A

役割: あなたは、レストランのアルバイト店員です。Bは、店長です。

状況: あなたは、レストランにいます。今は休憩時間です。

不満の内容: 給料を上げると約束したのに、まだ上げてくれていないこと

重要な情報: あなたは、このレストランで3年間アルバイトをしています。
Bは半年前に「近いうちに給料を上げる」と約束しましたが、まだ上げてくれていません。
あなたは最近、少しお金に困っています。

(1) Bに不満を伝えましょう。
(2) Bの言ったことを聞き、答えてください。もしBが不満を受け入れなかったら、さらに不満を伝えてください。

ロールカード 2A

役割: あなたは、学生です。Bは、あなたの友達です。

状況: あなたは学校で、Bにばったり会ったところです。

不満の内容: あなたが2週間前に送ったひかるの誕生日会の誘いのメールに、Bがまだ返信していないこと

重要な情報: ひかるはあなたとBの共通の友達です。
誕生日会は、来週の月曜日です。
ほかの人は全員、返信してくれました。
人数が決まらないと、お店の予約ができません。
Bはいつもメールの返信が遅いです。

(1) Bに不満を伝えましょう。
(2) Bの言ったことを聞き、答えてください。もしBが不満を受け入れなかったら、さらに不満を伝えてください。

ユニット7:不満を伝える

ロールカード 1B

役割: あなたは、レストランの店長です。Aは、アルバイト店員です。

状況: あなたは、レストランにいます。今は休憩時間です。

重要な情報: Aは、このレストランで3年間アルバイトをしています。
あなたは、Aがよく働いていると評価しています。
あなたは半年前、Aに「近いうちに給料を上げる」と約束しました。
最近、レストランの経営がうまくいっていません。

(1) Aの言ったことを聞き、不満を受け入れるかどうか決めて、返事をしてください。
(2) あなたの返事を聞いてAが言ったことに対して、さらに答えてください。

ロールカード 2B

役割: あなたは、学生です。Aは、あなたの友達です。

状況: あなたは学校で、Aにばったり会ったところです。

重要な情報: ひかるはあなたとAの共通の友達です。
あなたは2週間前に、Aからひかるの誕生日会の誘いのメールを受け取りました。
Aからのメールには、返信の締め切り日が書いてありませんでした。
あなたは最近、夜遅くまで毎日アルバイトをしていて忙しかったです。
あなたは、もともとメールが好きではありません。

(1) Aの言ったことを聞き、不満を受け入れるかどうか決めて、返事をしてください。
(2) あなたの返事を聞いてAが言ったことに対して、さらに答えてください。

ユニット8：ほめる

ロールカード 1A

役割： あなたは会社員です。Bはあなたの上司です。
状況： あなたはBに招かれ、Bの家に来たところです。
ほめること： Bの家やBに紹介された人・物など

重要な情報： ①家について：Bの家は新しそうです。あなたは家のデザインがとてもよいと思っています。
②家族について：Bは結婚していて、2人の子どもがいます。子どもたちはとてもかわいくて、行儀がいいです。
③庭について：庭には、色とりどりの花がたくさん咲いています。
④家の中について：家の中はどの部屋もきれいに片付いています。
⑤家具について：Bのリビングルームには、外国製らしいおしゃれなテーブルやソファーが置いてあります。
⑥眺望について：窓からは、富士山がとてもよく見えます。

（1）Bに家に招かれたお礼を言ってから、Bの家をほめましょう。
（2）Bに家を案内してもらいましょう。Bが紹介した家族や物をほめましょう。
（3）Bがまだ紹介していないこともほめてみましょう。

ロールカード 2A

役割： あなた自身
ほめること： 持ち物、外見、能力・実績、職業・学歴からいくつか選んで、自分で考えましょう。

（1）ペアになった人をほめましょう。
（2）ペアになった人が言ったことを聞き、さらにほめてください。

ユニット8:ほめる

ロールカード 1B

役割: あなたは会社員です。Aはあなたの部下です。

状況: あなたはAを招き、Aがあなたの家に来たところです。

重要な情報: ①家について:あなたは昨年家を建てたばかりです。とても住みやすくて気に入っています。
②家族について:あなたは結婚していて、2人の子どもがいます。子どもたちはAの前でいつもよりも緊張しているようです。
③庭について:庭には、あなたが苦労をして手入れをしている花がたくさん咲いています。
④家の中について:Aが来るので、昨日あわてて家の中のそうじをしたところです。
⑤家具について:リビングルームには、外国から取り寄せたテーブルやソファーが置いてあります。これらの家具はあなたではなく、あなたの夫／妻が選びました。
⑥眺望について:あなたは富士山がよく見える点が気に入って、この場所に家を建てました。

(1) Aの言ったことを聞き、ほめことばを受け入れるかどうか決めて、返事をしてください。
(2) Aに家族を紹介したり、家の中を案内したりしてください。
(3) Aにほめられたら、ほめことばを受け入れるかどうか決めて、返事をしてください。

ロールカード 2B

役割: あなた自身

(1) ペアになった人の言ったことを聞き、ほめことばを受け入れるかどうか決めて、返事をしてください。
(2) ペアになった人の言ったことを聞き、さらに答えてください。

著者

清水崇文（しみず たかふみ）　上智大学言語教育研究センター、同大学院言語科学研究科 教授
　イリノイ大学大学院東洋言語文化専攻修士課程、ハーバード大学教育学大学院修士課程、ロンドン大学大学院応用言語学専攻博士課程修了。応用言語学博士（Ph.D.）。イリノイ大学、ノースカロライナ州立大学、スタンフォード大学などで日本語教育に従事。『相手を必ず動かす！ 英会話のテクニック』（アルク）、『雑談の正体』（凡人社）、『心を動かす英会話のスキル』（研究社）、『コミュニケーション能力を伸ばす授業づくり』『中間言語語用論概論』（スリーエーネットワーク）、『日本語雑談マスター』シリーズ、『日本語教師のための 日常会話力がグーンとアップする雑談指導のススメ』（共著、凡人社）、『語用論研究法ガイドブック』（共著、ひつじ書房）、『第二言語習得研究と言語教育』（共編著、くろしお出版）など、多数の著書がある。

共同執筆者（50音順）

豊田春賀（とよだ はるか）　株式会社ビジネス・ブレークスルー 英語コーチングサービス企画開発責任者
深澤英美（ふかさわ えみ）　上智大学言語教育研究センター 常勤嘱託講師
古藪麻里子（ふるやぶ まりこ）　東洋大学情報連携学部 准教授

イラスト
内山洋見

装丁・本文デザイン
Boogie Design

みがけ！ コミュニケーションスキル
中上級学習者のための　ブラッシュアップ日本語会話

2013年 5 月29日　初版第 1 刷発行
2024年11月 8 日　第 10 刷 発 行

編著者　　清水 崇文
発行者　　藤嵜政子
発　行　　株式会社スリーエーネットワーク
　　　　　〒102-0083　東京都千代田区麹町3丁目4番
　　　　　　　　　　　トラスティ麹町ビル2F
　　　　　電話　営業　03（5275）2722
　　　　　　　　編集　03（5275）2725
　　　　　https://www.3anet.co.jp/
印　刷　　萩原印刷株式会社

ISBN978-4-88319-655-5　C0081
落丁・乱丁本はお取替えいたします。
本書の全部または一部を無断で複写複製（コピー）することは著作権法上での例外を除き、禁じられています。

■ **新しいタイプのビジネス日本語教材**

タスクで学ぶ
日本語ビジネスメール・ビジネス文書
適切にメッセージを伝える力の養成をめざして

村野節子、向山陽子、山辺真理子 ● 著

B5判　90頁＋別冊41頁　1,540円（税込）　〔ISBN978-4-88319-699-9〕

ロールプレイで学ぶビジネス日本語
グローバル企業でのキャリア構築をめざして

村野節子、山辺真理子、向山陽子 ● 著

B5判　164頁＋別冊12頁　CD1枚付　2,200円（税込）　〔ISBN978-4-88319-595-4〕

中級レベル
ロールプレイで学ぶビジネス日本語
―就活から入社まで―

村野節子、山辺真理子、向山陽子 ● 著

B5判　103頁＋別冊11頁　CD1枚付　1,870円（税込）　〔ISBN978-4-88319-770-5〕

■ **JLRTの攻略**

BJTビジネス日本語能力テスト
聴解・聴読解 実力養成問題集 第2版

宮崎道子 ● 監修　瀬川由美、北村貞幸、植松真由美 ● 著

B5判　215頁＋別冊45頁　CD2枚付　2,750円（税込）　〔ISBN978-4-88319-768-2〕

BJTビジネス日本語能力テスト
読解 実力養成問題集 第2版

宮崎道子 ● 監修　瀬川由美 ● 著

B5判　113頁　1,320円（税込）　〔ISBN978-4-88319-769-9〕

スリーエーネットワーク

ウェブサイトで新刊や日本語セミナーをご案内しております。
https://www.3anet.co.jp/

みがけ！コミュニケーションスキル
中上級学習者のための
ブラッシュアップ
日本語会話

別冊

本書をお使いになる教師のみなさんへ 001
語彙リスト（英語・中国語） 011
模範解答 022

本書をお使いになる教師のみなさんへ

■本書のねらい

日本社会で良好な対人関係を確立・維持できるコミュニケーション能力の養成

　コミュニケーションには、「情報の伝達」と「対話者間の社会関係の確立・維持」という2つの側面があります。自分の意図や考えを明確に伝えることができても、その結果相手が気分を害して、その人との関係が悪くなってしまったとしたら、長い目で見てコミュニケーションがうまくできているとはいえません。学習者が日本語を学ぶ目的が「社会生活のいろいろな場面で日本人と上手にコミュニケーションできるようになること」であるならば、日本語を正確に使える能力（文法能力）だけでなく、適切に使える能力（語用論的能力）も身につける必要があります。

　私たちは普段ことばを使って、依頼をしたり、誘ったり、不満を伝えたりといった様々な行為をしています。（これらは「発話行為」と呼ばれます。）また、そうした行為をする際には、相手との関係（目上か目下か、親しいか親しくないか）、その行為が相手に与える影響（負担や迷惑をかけるか、利益を与えるか、その程度はどのくらいか）、相手が受け入れる可能性といったことを考慮に入れながら、その場その場で最も適切だと考えられる言い方を選んでいます。こうした行いは日本語に限らず普遍的なものですが、どのような要因が表現の選択に影響するのか、ある状況ではどのような言い方が最も適切なのかといったことは、言語や文化によって異なる場合も多々あります。

　そのため、学習者が自分の母語の規範に則ってよかれと思って選んだ言い方が、聞き手の日本人からは不適切だと見なされ、その結果実生活で不利益を被ってしまう恐れもあるでしょう。しかも、この危険性は日本語が上達すればするほど大きくなります。誤った文法でたどたどしく話す学習者が場面に不適切な発話をしたとしても日本語ができないということで許されますが、豊富な語彙、正確な文法を駆使して流暢に話す学習者が同じように不適切な発話をした場合には、言語能力の問題ではなく、その人の人格上の問題（「自分勝手な人だな」）や国民性に対するステレオタイプ（「○○人は遠慮ってものを知らない」）として誤解されてしまう可能性が高くなるからです。

　こうした不幸なミスコミュニケーションを避けるためには、文法の知識ばかりでなく、適切なことばの運用に関する知識も身につける必要があります。本書は、日本語における適切なことばの使い方に関する知識を効率的・体系的に学ぶ機会を提供し、日本社会で、また海外での日本人とのコミュニケーションにおいて、「相手と良好な関係を確立・維持しながらも、自分の意図や考えはきちんと伝えることができる能力」（＝真のコミュニケーション能力）を養成することを目指しています。

■本書の対象となる学習者

本書は、次のような学習者を対象にしています。
　①日本語はかなり話せるようになってきたが、自分が意図することが上手に相手に伝えられなかったり、誤解をされてしまうことが多いと悩んでいる学習者
　②普段の生活で日本人とのコミュニケーションの機会が多く、そうした人々と良好な関係を築きたいと思っている学習者
　③将来、日本に留学したり、日本語を使う仕事に就くことを希望していて、日本語での円滑なコミュニケーションの仕方を効率的・体系的に学んでおきたいと思っている学習者

対象レベル：日本語能力検定試験N2レベル以上

※読み方が難しいと思われる漢字には、各ページの初出時にのみルビを付けました。また、難しいと思われる語彙は、別冊に一覧表（英語訳・中国語訳）を掲載しています。

■本書の構成

本書は、以下の8つのユニットで構成されています。
　　　①許可を求める、②依頼する、③謝罪する、④誘う
　　　⑤申し出をする、⑥助言する、⑦不満を伝える、⑧ほめる
　これらはすべて、日常生活で行われることが比較的多い発話行為であり、適切に行ったり応じたりしないと、思い通りに意図が伝わらなかったり、「失礼な人だ。」と思わぬ誤解を受けたりしてしまう可能性が高いものです。

　各ユニットは、3つのセクションに分かれています。セクション1ではその行為を行う立場のとき（例：許可を求めるとき）、セクション2ではその行為に対して応じる立場のとき（例：許可の求めに答えるとき）の、それぞれのやり方を学びます。セクション3は総合練習です。セクション1，2で学んだことを長い会話の聞き取りや産出に応用する練習ができるようになっています。それぞれのセクションは、以下のような構成になっています。

セクション1	● 聞いてみよう	● くわしく学ぼう	● 話してみよう	● 会話のヒント
セクション2	● 聞いてみよう	● くわしく学ぼう	● 話してみよう	● 会話のヒント
セクション3	● 聞いてみよう	● 話してみよう		

■セクション1＆2
● 聞いてみよう

　短い会話（1～2往復程度の会話）の聞き取り課題です。セクション1では、話し手と聞き手との関係や発話行為が相手に与える影響などの「発話状況に関わる要因」が異なる4つの会話を聞きます。セクション2では、話し手と聞き手との関係、発話行為の内容、応答の内容が異なる3つの会話を聞きます。1度目は、発話状況に関わる要因と発話行為や応答の内容の理解を目的として聞き取ります。2度目は、発話行為や応答の仕方（ストラテジーや表現の選択）に焦点を当てて聞き取りをし、発話状況に関わる要因とストラテジーや表現との関係について学習者が気づいたことをディスカッションによってクラスメイトと共有する課題になっています。

● くわしく学ぼう

　セクション1では、このパートは「目上の人や親しくない人」と話す場合と「対等・目下で親しい人」と話す場合に分かれています。どちらも、「聞いてみよう」の会話のスクリプトを読んで、発話状況、内容、表現について確認することから始まります。その後、発話行為を行うために使われる表現とストラテジー、それらの選択の基準についてくわしく学習します。はじめにその行為自体を行うコアとなる表現（例：許可を求める表現）を学習してから、その表現とともに使われる様々なストラテジー（例：許可を求める表現とともに使われ

るストラテジー）を学習するという流れになっています。

　コアとなる表現は、①ミニマムな「基本フレーズ」→②より間接的にするための展開の仕方→③その中で覚えておくと便利な「よく使われる表現」という3段階で導入されます。ただ頻出表現を丸暗記させるのではなく、こうした学習段階をたどり、その表現の構造とそうなっている理由を理解することによって、将来学習者が「自分で創造的に様々な表現を作り出せるようになるための基盤」を習得できることを目指しています。

　ストラテジーは、相手のフェイス（気持ち）に配慮していることを伝えたり、自分が意図する行為を効果的に遂行できるようにするために、コアとなる表現の前後で一緒に使われる様々な発話を指します。このパートでは、そうしたストラテジーと表現例、会話の流れの中でのストラテジーの組み合わせの例を紹介しています。

　セクション2では、このパートは相手の発話行為に対して、①応じる場合、②応じない場合、③すぐには答えられない場合／はっきり答えたくない場合という3つに分かれており、それぞれ「聞いてみよう」の会話のスクリプトを読んで、発話状況、内容、表現について確認することから始まります。その後、応答の際に使われるストラテジーとその表現例、それらの選択の基準についてくわしく学習します。会話の流れの中でのストラテジーの組み合わせの例も紹介しています。

◉ 話してみよう

　このパートでは、口慣らしのために、まず「くわしく学ぼう」で確認した短い会話をペアで話す練習から始めます。その後、セクション1では学習者自身が考えた発話行為の内容や表現を使って、セクション2では指定された対話者の関係と発話行為の内容に基づいて、短い会話をする練習をします。（練習全体の構成については、後述の「練習問題について」をご参照ください。）

◉ 会話のヒント

　各ユニットで学ぶ発話行為や返答に関連する情報をコラム形式で紹介しています。表現やストラテジーの選択に関する追加情報のほか、「日本的コミュニケーション」の文化的背景や含意（暗示的意味）、非言語コミュニケーションなどについても解説しているので、より深く学びたい学習者のための異文化コミュニケーションの教材として活用できます。

■セクション3
◉ 聞いてみよう

　長い会話（6〜7往復程度の会話）の聞き取り課題です。そのユニットで学んだ発話行為とそれに対する応答を含む会話を2つ聞きます。それぞれの会話で、発話行為の内容と応答の内容を聞き取ります。その後、巻末のスクリプトを見ながら、発話行為やその応答に使われたストラテジーや表現を確認します。

● 話してみよう

そのユニットで学んだ発話行為とそれに対する応答を含んだ長い会話をする課題です。対話者間の関係、発話場面、発話行為の内容、やり取りに影響を与えるその他の重要な情報（相手が知らないものを含む）が書かれたロールカードに基づいて、ロールプレイを行います。ロールカードは本冊巻末に掲載されています。

以上のように、本書は、①インプット中の語用論的情報に対する気づき（「聞いてみよう」）→②ディスカッションによる気づきの共有（「聞いてみよう」）→③言語形式と機能・丁寧度の対応関係や語用論的規範の明示的説明の理解（「くわしく学ぼう」）→④具体的な文脈設定でのコミュニカティブなアウトプットとフィードバックの享受（「練習」「まとめの練習」「話してみよう」「総合練習」）、という順序で学習が進むように設計されています。このように「気づき→仮説の構築→仮説の確認・修正→アウトプット→仮説の再確認・再修正」と進む学習プロセスは、第二言語学習者の語用論的能力の習得を対象とする中間言語語用論の研究結果によっても支持されています。

■ 練習問題について

発話の機能と適切さ（語用論）に関する知識の習得には、個別具体的な文脈の中でのコミュニカティブな発話練習とフィードバックが欠かせません。しかし、いきなりロールプレイなどで長い会話を練習させるのでは、学習者の負担が大きくなり、効果的な学びにつながりません。そこで、本書では、以下のような4段階で練習を行えるように工夫しました。

① 練習：発話行為を行う表現（コアとなる表現）を学んだ直後に、その表現のみを産出する練習
② まとめの練習：コアとなる表現とともに使われるストラテジーを学んだ直後に、コアとなる表現とストラテジーを組み合わせる練習
③ 話してみよう：セクション1、2のまとめとして、コアとなる表現とストラテジーを組み合わせて実際に短い会話をする練習
④ 総合練習：ユニットのまとめとして、ロールプレイによって長く創造的な会話をする練習

これら4種類の練習問題は、産出課題が「短く単純な文」から徐々に「長く複雑な会話」になるように並んでいます。また、時間をかけて発話を書かせる練習（①と②）から始め、次に事前に準備してから話す練習（③）、最後に準備なしで話すロールプレイ（④）というように課題の認知的負荷も徐々に重くなるように設定してあります。なお、「総合練習」では、長い会話を聞き取る練習もできるようになっています。

■ アイコンについて

本書では、発話状況に関わる要因が一目でわかるように、以下のようなアイコンとして示しています。

- 🔼:目上の相手
- 🔃:対等・目下の相手
- 👥:親しい相手
- 👤:親しくない相手
- 😢:相手にかかる迷惑や負担が大きい
- 🙁:相手にかかる迷惑や負担が小さい
- 😊:相手が興味を持っている、あるいは相手が申し出や助言が必要だということを話し手は知っている
- 🤔:相手が興味を持っている、あるいは相手が申し出や助言が必要だということを話し手は知らない
- 🏺:不満の原因である事態を修復できる
- 💥:不満の原因である事態を修復できない

■本書の使い方

　本書は、授業の教材として使われることを想定して作られていますが、学習意欲の高い学習者の教室外での自習用の教材として、また日本語の授業を受けていない学習者の独習用の参考書として使うことも可能です。授業でお使いになる場合は、「会話」コースの主教材として使う、「総合」コースの副教材として読解中心の教科書と併用して使う、などの使い方が考えられます。

　各ユニットに順番はありません。そのため、モジュール式にどのユニットからでも始めることができます。また、学習者の興味やニーズ、コースのスケジュールなどに合わせて、いくつかのユニットだけを選んで使うという方法もあります。

　授業でお使いになる場合、1つのユニットの学習時間の目安は180〜200分程度です。1コマ90分なら2回で、50分なら4回で1ユニットが終わる計算になります。以下に会話の授業（1コマ90分）の主教材として使う場合の時間配分の例をあげます。

〈1コマ90分の授業の時間配分例〉
1コマ目
　導入　5分
　セクション1
　　「聞いてみよう」15分
　　「くわしく学ぼう」50分
　　「話してみよう」20分
2コマ目
　セクション2
　　「聞いてみよう」10分
　　「くわしく学ぼう」40分
　　「話してみよう」15分
　セクション3
　　「聞いてみよう」10分
　　「話してみよう」15分

■本書の特徴

語用論の理論（発話行為とポライトネス）に基づいた教科書

　本書は、「発話行為」と「ポライトネス」という語用論の理論に基づいて作成されています。

　発話行為とは、「ことばによって行為をすること」（例：「お願いします」と言って＜依頼＞をする、「ごめんなさい」と言って＜謝罪＞をする）を指しますが、本書のユニットはこうした発話行為の種類によって構成されています。また、発話行為をその行為の中心となる発話と補助的な発話に細分化して提示する方法も、発話行為研究の分析の仕方を基にしています。発話行為という概念はことばを機能の面から捉えるということですので、本書はいわゆる「機能シラバス」に基づく教科書だと言うこともできます。

　ポライトネスとは、「円滑な対人関係を確立・維持するための言語行動」を指します。この理論の提唱者であるブラウンとレビンソンによると、私たちが誰かに何かを言うときには相手や自分のフェイス（対人関係上の願望）を侵害する可能性があり、その侵害の程度は発話状況に関わる要因（自分と相手との関係や行っている行為の性質など）によって異なります。そのため、良好な対人関係を維持するためには、発話状況に関わる諸要因を勘案してフェイス侵害の危険度を算定し、それに応じて相手への配慮を示し侵害を緩和する手段（間接的な言い方をする、丁寧な表現を使うなど）を講じる必要があります。

　発話状況に関わる要因は多岐にわたりますが、本書では最も影響力が大きいと考えられる3つの要因に基づいて場面をとらえるようにしました。それらのうちの2つは「対話者間の上下関係」と「対話者間の親疎関係」で、どのユニットでも共通です。上下関係は、相手が自分よりも「目上」なのか、「対等または目下」なのかということであり、親疎関係は、相手が「親しい」人なのか、「親しくない」人なのかということです。最後の1つはユニットによって異なります。例えば、依頼の場合は「相手が依頼の内容に感じる負担の大きさ」、申し出の場合は「相手がその申し出を必要としているかどうか」、不満の場合は「不満の原因となっている事態が修復可能かどうか」などとなります。

　これまでの教科書にも「フォーマルな場面 vs. カジュアルな場面」「丁寧な表現 vs. くだけた表現」などといった区別が提示されることはありましたが、具体的にどのようなときにどのように表現を使い分けるのかについてはあまり詳しく説明されていませんでした。本書では、ポライトネスの考え方を応用し、こうした発話状況に関する要因の組み合わせで場面を設定することによって、様々な場面で適切な表現やストラテジーを選択できるような応用力を身につけられるように配慮しています。

「気づく力」と「選択する力」による応用力の養成を目指す

　ある状況においてどの言い方が最も適切かという判断には、母語話者の間でも個人差が見られます。そのため、文法のように「正解」を教えることはできません。また、状況に関

わる要因は多岐にわたり、個々の要因の状態も無限にある（親疎関係を考えてみると、無二の親友、友達、単なるクラスメイト、挨拶するだけの近所の人、嫌いな人、通りすがりの人など）ため、すべての状況におけるすべての適切な言い方を示すことも不可能です。そこで本書は、「この状況ではこの言い方が適切だ」というような紋切り型の知識を教えるのではなく、「気づく力」と「選択する力」を高めることによって様々な場面に対応できる応用力を育てることを基本方針としました。

　文法規則でも言語運用の規範でも、新しい知識を獲得するきっかけになるのは「気づき」です。しかし、学習者の多くは適切な言い方の規範が言語によって異なるとは考えないため、学習言語と母語との違いに気づきにくいと言われています。本書の「聞いてみよう」の会話では、年齢、性別、職業、国籍、文化などが異なる多くの登場人物たちが、会社、学校、地域など様々な生活場面で行うコミュニケーションが描かれています。こうした会話を題材にして発話状況と発話の適切さの関係に気づく訓練を積むことによって「気づく力」が高まれば、日常生活で出会うインプットの中からそうした情報に気づく頻度が格段に増え、教室外での効率的な学びの機会につながると考えられます。

　また、せっかく適切さに対するアウェアネスが高まっていて、適切な言い方で発話行為を行おうとしたとしても、少数の決まり文句を覚えているだけでは様々な場面に柔軟に対応することはできません。そのようなときに大切なのは、「選択肢を数多く知っていること」と「選択のための判断基準を身につけていること」でしょう。これが「選択する力」です。また、選択する力があれば、どの程度の丁寧さで話すかといった判断が自己責任でできるようにもなります。本書の「くわしく学ぼう」は、この選択する力を高めることを主眼において構成されています。

言語運用に関わる複雑多岐な要因を単純化・ビジュアル化して理解しやすく

　実際の運用場面においては、発話の適切さを決めるための様々な要因が複雑に絡み合っています。それらを学びやすくするために、あえて単純な図式に当てはめて、分かりやすく提示する工夫をしました。その一つが、二分法の採用です。多くの価値基準はゆるやかな連続体を構成しています。親疎関係を例にとれば、「よく知っていて大好きな人」と「全く知らない赤の他人」を両極として、その間に様々な親しさが並んでいます。しかし、本書では、親疎関係がことばの選択にどのように影響するのか、その概略を知ってもらうために、これらを便宜上「親しい人」と「親しくない人」という2つのグループに大別して違いを示すという手段を取っています。

　また、上下関係と親疎関係のそれぞれを2グループに分けても、その組み合わせは、①目上×親しくない、②目上×親しい、③対等・目下×親しくない、④対等・目下×親しい、の4通りになります。しかし、言葉の使い分けの実態としては、目上の相手に対しては親疎に関係なく似たような話し方をし、対等・目下の相手でも親しくない場合には目上に対するときとあまり変わらない話し方をしていることが多いように思われます。そこで、本書では、上記①から③のケースを「目上や親しくない相手」としてまとめ、④のみ「対等・目下

で親しい相手」として分けることにしました。

　また、こうした状況要因のビジュアル化も、理解しやすさを増すための工夫として積極的に取り入れました。本書で扱う発話状況に関わる要因はすべてアイコンで表示し、一目でわかるようにしました。（詳しくは、前述の「アイコンについて」をご参照ください。）また、セクション1と2のすべての会話のスクリプトに、対話者の特徴や会話が行われている状況をわかりやすく描写した挿絵を添えてあります。

ストラテジーや表現の選択の仕方を段階的に学べる工夫

　たいていの発話行為は、その行為を担うコアとなる発話とその前後でそれを補助する発話から構成されています。（例：「今時間ある？　悪いんだけど」（補助）、「ちょっと辞書貸してくれない？」（コア）、「すぐ返すから」（補助））そこで本書では、まずコアとなる発話部分を、その後で補助の発話部分を学び、最後にそれらの組み合わせを学ぶという順序で進めるようにしました。

　また、コアとなる発話を導入する際には、まず基礎となる表現のパターンを＜基本フレーズ＞として提示しました。次に、この基本フレーズに様々な文法的、語彙的な変更を加えることによって、意図する丁寧度に合う表現を生み出していく過程を解説しました。ある表現を丸覚えするのではなく、基本フレーズとその拡張方法を学ぶことによって、学習者が場面に応じて自分の力で様々な丁寧度の表現を作り出せるようになることを目指しています。しかし、これだけでは基本フレーズの拡張によって作り出せる数多くのパターンの中でどれを使ったらよいかが分からず混乱してしまう可能性があります。そこで、そのようにして生み出される多くのパターンの中から日常生活で比較的よく使われるものを＜よく使われる表現＞として丁寧度（間接度）とともに紹介しました。このように段階を踏んだ学習をすることにより、表現を丸暗記するのとは違い、学んだ表現を生きた言葉として臨機応変に使えるようになるでしょう。

　補助部分は、意図する発話行為を首尾よく成功させるために、また相手の気分を害さないために（フェイスを侵害しないために）、様々な発話が付け加えられる部分です。これらの発話を本書では発話行為を成功させるための「ストラテジー」として取り扱っています。そして、そうしたストラテジーを目的ごとに分類して、それぞれについて表現の例をいくつか紹介しています。

　丁寧さの印象は、言語形式の丁寧さだけでは決まりません。例えば、目上の人に依頼をするのにどれだけ丁寧な言葉を使ったとしてもいきなり依頼を切り出しては、相手は失礼に感じることも多いでしょう。会話の運び方（談話構造）も大切なわけです。本書では文単位の言い方（基本フレーズ→よく使われる表現）をマスターした上で、それとともに使われる様々なストラテジーを学び、最終的にはそれらを談話の中で効果的に組み合わせることによって、相手の気持ちを損なうことなく、自らの目的を達成できるようになることを目指しています。

語彙リスト

あ

間柄（あいだがら）	relationship	关系，交际
あいまいに	ambiguously, vaguely	暧昧地
愛用の（あいようの）	favorite	喜欢用的，常用的
アシスタント	assistant	助手
味見（あじみ）	taste	尝味道
アニメフェスティバル	anime festival	动漫节
改まった（あらたまった）	formal	郑重其事的

い

いいかげんな	irresponsible	马马虎虎的，敷衍了事的
いいかげんにして	cut it out	够啦。算了吧。
言い聞かせる（いいきかせる）	remind	说给…听
言い訳する（いいわけする）	make excuses	分辨，辩解
医学部（いがくぶ）	medical school	医学系
囲碁（いご）	the game of "go"	围棋
意向（いこう）	intention	意向，意思
居酒屋（いざかや）	Japanese-style pub	小酒馆
意図（いと）	intention	意图
異動（いどう）	transfer	变动，调动
医療ミス（いりょうミス）	malpractice	医疗事故
色落ちする（いろおちする）	lose color, fade	褪色
色とりどりの（いろとりどりの）	colorful	五颜六色的，五光十色的
インターンシップ	internship	实习期间
イントネーション	intonation	声调，语调
インフルエンザ	influenza	流感

う

ウェイター	waiter	男服务员
受け入れる（うけいれる）	accept	接受
訴える（うったえる）	appeal	起诉，申诉
腕前（うでまえ）	skill	本事，才干
埋め合わせ（うめあわせ）	compensation	弥补，赔偿
恨み（うらみ）	grudge	憎恨
うらやむ	envy	羡慕

え

営業部 (えいぎょうぶ)	Sales Department	营业部
英文学 (えいぶんがく)	English literature	英国文学
炎症 (えんしょう)	inflammation	炎症

お

応接室 (おうせつしつ)	reception room	会客室
応対に出る (おうたいにでる)	answer the door	出来接待
応募する (おうぼする)	apply	应募
おおげさに	elaborately	夸张, 小题大作
お気に入り (おきにいり)	favorite	喜欢, 中意
おことばに甘える (おことばにあまえる)	accept someone's kind offer	领受您的好意
おごる	treat someone to something	请客
お酒の席 (おさけのせき)	drinking (party)	酒宴, 酒席
押し付け (おしつけ)	imposition	强加
押し付けがましい (おしつけがましい)	intrusive	强加于人
お世辞 (おせじ)	flattery	恭维话
お手数 (おてすう)	trouble	添麻烦
お供する (おともする)	accompany	一起, 陪同
オペラ	opera	歌剧
お見合い (おみあい)	arranged marriage	相亲
折り返し電話する (おりかえしでんわする)	return a call	回电话
お詫び (おわび)	apology	道歉
恩着せがましい (おんきせがましい)	patronizing	以恩人自居, 施恩图报

か

開演 (かいえん)	curtain raising	开演
会計 (かいけい)	payment	会计, 结帐
外見 (がいけん)	appearance	外表看
外交官 (がいこうかん)	diplomat	外交官
買い出し (かいだし)	shopping	采购
外泊 (がいはく)	sleep over	在外住宿
係長 (かかりちょう)	sub-section chief	股长
価値観 (かちかん)	one's values	价值观
家庭教師 (かていきょうし)	private tutor	家庭教师
家電 (かでん)	home electrical appliance	家电
壁紙 (かべがみ)	wall paper	壁纸
髪型 (かみがた)	hairstyle	发型
ガレージ	garage	汽车库

観光客（かんこうきゃく）	tourist	游客
幹事（かんじ）	event organizer	干事，发起人
慣習的に（かんしゅうてきに）	habitually	习惯性地，习惯地
感情がこもった（かんじょう）	sincere	充满感情
関心（かんしん）	interest	关心
感心な（かんしん）	admirable	了不起的
間接的な（かんせつてき）	indirect	间接的
乾燥機（かんそうき）	dryer	干燥机
完走する（かんそう）	run the whole distance	跑完全程
かんべんして	give me a break	放过我吧。饶了我吧。
勧誘をする（かんゆう）	recruit	劝诱，邀请
管理組合（かんりくみあい）	condominium owners' association	管理委员会

き

記憶違い（きおくちが）	memory lapse	记错
企画書（きかくしょ）	project proposal	计划书
気が進まない（きすす）	reluctant	不起劲，不乐意干
気がつく（き）	notice	察觉，注意到
傷つける（きず）	hurt	损伤，伤害
気づく（き）	notice	察觉
期末試験（きまつしけん）	end-of-term examination	期末考试
期末レポート（きまつ）	term paper	期末小论文
キャンセル待ちを入れる（ま　い）	put one's name on a waiting list	等待解约，等待退票
行儀がよい（ぎょうぎ）	have good manners	有礼节
強調の表現（きょうちょう　ひょうげん）	emphatic expression	强调的表现
禁煙外来（きんえんがいらい）	smoking cessation clinic	戒烟门诊

く

空席（くうせき）	available seat	空位
クビになる	be fired	被解雇
組み合わせて（く　あ）	in combination	组合，搭配

け

敬意（けいい）	respect	敬意
経緯を説明する（けいい　せつめい）	explain the background	说明事情的经过
経営がうまくいっていない（けいえい）	business is struggling	经营不顺利
経過（けいか）	progress	经过
傾向（けいこう）	tendency	倾向
警備員（けいびいん）	security guard	警备人员
経由（けいゆ）	via	经由

経理部（けいりぶ）	Accounting Department	会计部
ケーキバイキング	cake buffet	蛋糕自助
下品な（げひんな）	vulgar	庸俗的，下流的
研究室（けんきゅうしつ）	professor's office	研究室
謙譲語（けんじょうご）	humble form	自谦语
謙遜する（けんそんする）	be modest	谦虚
限定（げんてい）	being specific	限定，限制
検討する（けんとうする）	consider	研究
賢明な（けんめいな）	wise	英明，高明

こ

厚意（こうい）	courtesy	深情厚意
行為（こうい）	action	行为
公演（こうえん）	performance	公演
後悔する（こうかいする）	regret	后悔
効果的な（こうかてきな）	useful	有效的
合コン（ごうコン）	blind date party	（男女的）联谊会
交通機関（こうつうきかん）	transportation	交通机关
肯定的な（こうていてきな）	positive	肯定的
構文（こうぶん）	grammatical structure	句子结构
ごく初期の段階（ごくしょきのだんかい）	in the very early stage	最初级的阶段
告白する（こくはくする）	express one's love	坦白
個人的な（こじんてきな）	personal	个人的
骨折する（こっせつする）	break a bone	骨折
事柄（ことがら）	subject matter	事情，事态
ごみ収集車（ごみしゅうしゅうしゃ）	garbage truck	收垃圾的车
ご利益（ごりやく）	good fortune	利益
ゴルフコンペ	golf competition	高尔夫比赛
ゴロゴロする	lie around	无所事事

さ

差（さ）	difference	差别，差异
作業（さぎょう）	work	操作，作业
避ける（さける）	avoid	避开
差しつかえ（さしつかえ）	inconvenience	故障，障碍
差し出がましい（さしでがましい）	meddling	多嘴多舌
残業（ざんぎょう）	overtime work	加班

し

使役（しえき）	causative form	使役

資格 (しかく)	qualification	资格
時給 (じきゅう)	hourly wage	计时工资
私語 (しご)	chatting	私语
事実関係 (じじつかんけい)	detailed facts	事实关系
舌打ち (したうち)	tut-tutting	咂舌
親しさ (したしさ)	intimacy	亲切，和善
実家 (じっか)	parents' home	娘家，父母家
実績 (じっせき)	achievement	实际取得的成绩或功劳
市内観光 (しないかんこう)	sightseeing tour of the city	市内观光
芝居 (しばい)	theatrical play	戏剧
シフト	work shift	轮班工作时间
自分勝手な (じぶんかってな)	selfish	任性的，自私的
志望する (しぼうする)	wish to	志愿，愿望
ジャケット	jacket	夹克，西装或套装的上衣
獣医 (じゅうい)	veterinarian	兽医
就活（就職活動）(しゅうかつ（しゅうしょくかつどう）)	job hunting	就业活动
宗教団体 (しゅうきょうだんたい)	religious group	宗教团体
終電 (しゅうでん)	last train	末班车
柔道 (じゅうどう)	judo	柔道
住人 (じゅうにん)	resident	住户
修復する (しゅうふくする)	repair	修复
出演 (しゅつえん)	appearance on a show	演出，表演
将棋 (しょうぎ)	Japanese chess	将棋，象棋
状況 (じょうきょう)	situation	情况，状况
消極的な (しょうきょくてきな)	passive	消极的
上下関係 (じょうげかんけい)	superior-inferior relation	上下级关系
条件 (じょうけん)	condition	条件
上司 (じょうし)	boss	上司
乗車待ちの (じょうしゃまちの)	waiting for a train	等车的
症状 (しょうじょう)	symptom	症状
上達 (じょうたつ)	progress	进步，提高
商談 (しょうだん)	business meeting	商业谈判
ショートカット	short hair	短发
職種 (しょくしゅ)	line of work	工种
所属する (しょぞくする)	belong to	所属
所要時間 (しょようじかん)	time required for travelling	需要的时间
新居 (しんきょ)	new residence	新居

人生観（じんせいかん）	philosophy of life	人生观
親疎関係（しんそかんけい）	degree of intimacy	亲疏关系
新入生（しんにゅうせい）	freshman	新生

す

推薦状（すいせんじょう）	letter of recommendation	推荐信
スコア	score	（体育比赛的）得分，成绩
ステレオタイプ	stereotype	旧框框，固定格式
ストラテジー	strategy	策略，战术
素直に（すなおに）	unreservedly	坦率，淳朴
スパイ	spy	谍报人员
スピーチコンテスト	speech contest	讲演比赛
炭（すみ）	charcoal	碳
スムーズに	smoothly	圆滑地，流畅地

せ

世界史（せかいし）	world history	世界史
せきばらい	harrumph	（为引起注意）故意咳嗽
席をゆずる（せき）	offer one's seat	让座
積極的な（せっきょくてきな）	enthusiastic	积极的
セットアップ	setting up	（电脑硬件等的）安装，设置
説得する（せっとくする）	pursuade	说服
全館禁煙の寮（ぜんかんきんえんのりょう）	non-smoking dormitory	禁止吸烟的宿舍
全館で禁煙（ぜんかんできんえん）	non-smoking facility	馆内禁止吸烟
選択肢（せんたくし）	options	几个可供选择的答案
先方（せんぽう）	the other party	前方，对方
専門分野（せんもんぶんや）	area of expertise	专业领域

そ

倉庫（そうこ）	storage	仓库
早退（そうたい）	leaving work / school early	早退
袖（そで）	sleeve	袖子
尊敬語（そんけいご）	honorific form	敬语
損失（そんしつ）	loss	损失
尊重する（そんちょうする）	have respect	尊重

た

体調を崩す（たいちょうをくずす）	fall sick	身体不好
対等（たいとう）	equal status	对等
立場（たちば）	position	立场
立て替える（たてかえる）	pay on behalf of someone	垫付

断定を避ける	avoid assertive statements	避免下结论

ち

地域社会	local community	社区
チェス	chess	国际象棋
縮む	shrink	缩
着火剤	barbecue lighter	发火剂
聴講する	audit	听讲, 听课
挑戦	challenge	挑战
眺望	surrounding view	眺望
諜報員	spy	谍报人员
直接的な	direct	直接的
チラシ	leaflet	广告单

つ

ついていない	unlucky	运气不好
ついでに	in passing	顺便
通行人	passers by	路人
使い分け	distinction	分开使用

て

丁寧語	polite form	礼貌语（日语敬语的一种）
手がすべる	slip one's fingers	手滑
手が離せない	be tied up	离不开手
的確な	accurate	确切的, 正确的
電機メーカー	electronic applicance maker	电机厂商
点検	inspection	检查
天候に恵まれる	be blessed with good weather	赶上好天气
電池パック	battery pack	电池包

と

同意	agreement	同意
同士	each other	同伴, 表示彼此有相同的关系
東大生	student of Tokyo University	东京大学学生
到着する	arrive	到达
到底かなわない	hardly compatible	怎么也, 赶不上
当番	one's turn on duty	值班
遠回しな	indirect	委婉的, 拐弯抹角的
とっさに	instantly	瞬间, 立刻
どなる	yell	大声斥责, 大声喊叫
取扱説明書	user's manual	使用说明书

取り返しがつかない	beyond repair	无可挽回
取り消し	cancel	取消
取引先	client company	贸易对方
トロフィー	trophy	奖杯

な

内緒で	secretly	不公开, 秘密地
内線電話	extension call	内线
生意気な	arrogant	骄傲自大的, 自以为是的
生クリーム	fresh cream	鲜奶油

に

荷が重すぎる	too much responsibility	负担太重, 责任重大
二次会	after-party	二次聚会
二重敬語	doubly-polite phrases	二重敬语
日本史	Japanese history	日本史
入賞する	win a prize	获奖

ね

寝込む	sick in bed	（因病）长期卧床
寝過ごす	oversleep	睡过头
寝不足	lack of sleep	缺觉
年配の	elderly	上年纪的
念を押す	make sure	（为了确认）叮问

の

| 喉が渇く | be thirsty | 口渴 |

は

バーベキュー	barbecue	（在野外）烧烤
肺	lung	肺
賠償	reimburse	赔偿
配慮する	consider	关照, 照料
場所取り	saving a spot	占地方
ばったり会う	run into	不期而遇
初詣	New Year's visit to a shrine	年后的首次参拜
花見会	cherry blossom viewing party	赏花会
張り替える	re-cover	换贴
鍼治療	acupuncture treatment	针（灸）治疗
パワースポット	location thought to be flowing with mystical energy	有仙气灵气的场所
バンジージャンプ	bungee jump	蹦极

ひ

ビアガーデン	beer garden	露天啤酒店
ヒーター	heater	电热炉
美術展	art exhibit	美术展览
病欠する	be absent due to sickness	病假
標高	elevation	海拔

ふ

部下	subordinate	部下
不可能	impossible	不可能
不作法	rudeness	没礼貌
負担	burden	负担
フットサル	futsal	室内的五人制足球
不動産屋	real estate agent	房地产商
プライバシー	privacy	个人隐私
不利な	disadvantageous	不利的
不良品	defective product	次品
ふるまい	behavior	行为举止
フレーズ	phrase	短语，词组
プレゼンテーション	presentation	介绍，说明，发表
ブログ	blog	博客
プロジェクト	project	计划，项目
文末	end of a sentence	句尾

へ

弊社	our company (humble form)	敝公司
平板	flat	平板
ベークドチーズケーキ	baked cheesecake	烤乳酪蛋糕
ベジタリアン	vegetarian	素食主义者
返金する	issue a refund	还钱
弁償	recompense	赔偿
返信	return message	回信
返答	response	回答

ほ

防犯パトロール	anticrime patrol	为防止犯罪进行的巡逻
ホームステイ	homestay	寄宿民家
ホームパーティー	house party	家庭宴会
歩行者優先	priority to pedestrians	行人优先
補習	remedial class	补习

補償(ほしょう)	recompense	补偿
ホストファミリー	host family	（接待留学生寄宿的）家庭
ほのめかす	hint	暗示，微微透露
ボランティア活動(かつどう)	volunteer activities	志愿者活动
保留(ほりゅう)する	defer	保留
ボリューム	volume	分量，音量，体积
本心(ほんしん)だ	cordial	心里话
本番(ほんばん)に弱(よわ)い	be bad at delivering results when it counts	怯场

ま

前置(まえお)き	prefatory remarks	开场白
間違(まちが)いない	guaranteed	没错
的外(まとはず)れな	beside the point	未得要领，偏离目标
まとめ買(が)い	bulk buying	集中购买
まぶしい	too bright	耀眼，晃眼
満席(まんせき)	no seats are available	满座

み

ミーティング	meeting	会议
ミネラルウォーター	mineral water	矿泉水
ミュージカル	musical	音乐剧，音乐片

む

無断欠勤(むだんけっきん)する	be absent from work without permission	旷工

め

迷惑(めいわく)	inconvenience	麻烦，烦扰
目上(めうえ)	higher status	长辈，上司
目下(めした)	lower status	晚辈，部下
メッセージ	message	口信
面談(めんだん)	meeting	面谈
面子(メンツ)	face	面子
面倒(めんどう)くさい	troublesome	非常麻烦
面倒(めんどう)をみる	take care of	照顾，照料
麺類(めんるい)	noodles	面类，各种面条

も

もてる	be popular with people of the opposite sex	受（异性）欢迎

や

焼肉(やきにく)	Japanese style barbecue	烤肉
役員(やくいん)	board member	负责人，董事
やまやま	really	（本来）非常想～

和(やわ)らげる	ease	使缓和, 使柔和

よ

酔(よ)いつぶれる	pass out drunk	酩酊大醉, 烂醉
腰痛(ようつう)	backache	腰疼
翌日(よくじつ)	the next day	第二天
翌週(よくしゅう)	the following week	下周
予備校(よびこう)	preparatory school	补习学校
弱(よわ)める	weaken	减弱, 削弱
4浪中(ろうちゅう)	in his/her fourth year of preparing to retake entrance examinations	复读第4年

ら

来週末(らいしゅうまつ)	next weekend	下周末
ライブ	live concert	实况演播音乐会

り

リビングルーム	living room	起居室
旅行代理店(りょこうだいりてん)	travel agency	旅游代理店
履歴書(りれきしょ)	résumé, c.v.	履历书

る

ルームシェアをする	share a house / an apartment	合租
ルームメイト	roommate	室友

れ

レアチーズケーキ	unbaked cheesecake	软乳酪蛋糕
恋愛成就(れんあいじょうじゅ)	fulfillment in love	成就恋爱
連休(れんきゅう)	consecutive holidays	连休

ろ

浪人生(ろうにんせい)	students preparing to retake university entrance exams	（高考落榜后的）复读生
労力(ろうりょく)	effort	劳力
ローン	housing loan	（住宅等）贷款
録画予約(ろくがよやく)をする	schedule a timer-recording	预约录像

わ

割(わ)り込(こ)む	cut in	加塞儿, 插队

模範解答

ユニット1　許可を求める

セクション1　許可を求める

◉ 聞いてみよう（p.1）
①会話1　　　来週の金曜日に仕事を休む
　会話2　　　カーテンを閉める
　会話3　　　飲み物を買いに行く
　会話4　　　これからうちに遊びに行く

②会話1　（すみません、）来週の金曜日お休みさせていただきたいのですが、よろしいでしょうか。
　会話2　（まぶしいので）カーテンを閉めてもいいですか。
　会話3　ちょっと飲み物買いに行ってもいい？
　会話4　これからえりかのうちに遊びに行っちゃだめかな？

◉ くわしく学ぼう

練習（p.3）
①気分が悪いので、早退させていただけませんか。
②ご相談したいことがあるのですが、明日研究室にお伺いしてもよろしいでしょうか。
③週末に友達を呼んでもいいですか。

練習（p.4）
①ねえ、ノートコピーさせてもらえる？
②トイレ借りてもいい？
③悪いけど、先に帰ってもいいかな？

◉ まとめの練習（p.6）
①できたら部屋の壁紙を自分の好みのものに替えたいと思っているんですけど、構わないでしょうか。
②先生、申し訳ありませんが、あさっての授業を欠席させていただいてもよろしいでしょうか。その日に就職活動で面接が入ってしまったんです。
③あした友達の家に誘われているんですけど、泊まってきてもいいですか。

セクション2　許可の求めに答える

◉ 聞いてみよう（p.9）
①会話1　　　ティッシュをもらう　　　　　　a
　会話2　　　面談の時間を4時に変更する　　b
　会話3　　　ランチの約束を夜に変更する　　c

②**会話1** どうぞ。使ってください。
　会話2 すみません。あしたはその時間しか空いていないんです。
　会話3 どうしたの？

● **くわしく学ぼう**
練習（p. 11）
①あ、もちろんです。すみません、気がきかなくて。
②はい、どうぞー。
③いいよ。

練習（p. 12）
①それはちょっと困ります。ごめんなさい。
②申し訳ありませんが、お待ちのお客様がいらっしゃいますので、延長はちょっと…。
③あ、悪いけど、この寮禁煙なんだ。

練習（p. 13）
①え、なんで？
②うーん、ちょっとルームメイトに確認してからでもいい？
③今ちょっと来週の予定がわからないので、後で予定を確認してからお返事してもいいですか。

● **まとめの練習**（p. 14）
①もちろんいいよ。歩きやすい服装で来てね。
②あっ、うん、始めてて！
③恥ずかしいので、それはちょっと…。

セクション3　　総合練習

● **聞いてみよう**（p. 17）
1. ①［1］今度の日曜日にバーベキューセットを借りること
　　　［2］コップ・皿・炭・着火剤・イス・テーブルを借りること
　　　［3］庭を使うこと
　②バーベキューセットを貸すことは許可したが、あとはわからない（親がいいと言ったら貸す）。
2. ①［1］明日、フットサルの練習試合を休むこと
　　　［2］明日は見学に行かず、家で休むこと
　②許可をした。代わりの人を呼んでもらうことを頼んだ。

ユニット2　依頼する

セクション1　依頼する

● 聞いてみよう（p. 19）

①会話1　　書類を今日の午後提出する
　会話2　　17日までにベランダの荷物を片付ける
　会話3　　授業の席を取っておく
　会話4　　アルバイトのシフトをかわってもらう

②会話1　（すみません。あしたいただくことになっていた書類なんですけど、）今日の午後提出していただくことはできないでしょうか。
　会話2　（すみません、17日に消防の点検が入るので、）それまでにベランダの荷物を片付けておいてもらってもいいですか。
　会話3　次の授業、席取っといてくれない？
　会話4　（あした、急に就活で面接が入っちゃったから、）シフトかわってもらってもいい？

● くわしく学ぼう

練習（p. 21）
①写真を1枚撮っていただいてもいいですか。
②すみません、もう一度言っていただけませんか。
③補習をしていただくことはできないでしょうか。

練習（p. 23）
①水もらってもいい？
②ねぇ、玄関出てくれる？
③3,000円貸してもらえないかな。

● まとめの練習（p. 25）
①実は昨日から風邪がひどくて、今日は休ませてもらうことにしたんだけど、午後お客さんとの約束があるんだ。悪いんだけど代わりに会ってもらえない？
②先輩、あの、日本語で履歴書を書いてみたんですけど、不安なので間違っていないかチェックしてもらえませんか。
③お父さん、来週の日曜日なんですけど、7時の飛行機に乗らなくちゃいけないので、できたら車で送ってもらえませんか。朝早くてすみませんが、始発の電車では間に合わないんです。

セクション2　依頼に答える

● 聞いてみよう（p. 29）

②会話1　　折り紙を片付ける　　　　　　　　a
　会話2　　授業のノートを貸す　　　　　　　b

会話3　　連休にアルバイトのシフトに入る　　c

②会話1　はーい。
　会話2　でも僕も結構休んじゃってるので…。
　会話3　ちょっと予定を確認させてもらってからでもいいですか。

● くわしく学ぼう
練習（p. 31）
①いいよー。出て右だから。
②はい。どちらにお持ちすればいいですか。
③はい、喜んでお手伝いします。

練習（p. 32）
①ごめん、手伝うくらいならできるけど、幹事はちょっと…。
②あー、私もこれから出かける用事があるので…。
③参加したいんですけど、明日はちょっと無理なんです。すみません。

練習（p. 34）
①お手伝いしたいんですが、もしかしたら出張が入るかもしれないので、後でお返事してもいいですか。
②うーん…。すぐには返事できないけど、ちょっと考えてみるね。
③残業が多いので、水曜日だけなら手伝えますけど…。

● **まとめの練習**（p. 34）
①私もそんなに詳しくないですけど、それでもよければやってみます。
②この間貸した分も含めて、あした返してくれるならいいよ。
③えー…。でも家にほとんどいないので、ちょっと責任持てないです。

セクション3　　総合練習

● 聞いてみよう（p. 36）
1. ①［1］今晩、相談に乗ってもらうこと
　　　　［2］明日、相談に乗ってもらうこと
　　②今日は予定が入っているので断った。明日会うことにした。
2. ①［1］持っていないプリントをコピーするために借りること
　　②依頼を引き受けた。プリントを貸した。

ユニット3　謝罪する

セクション1　謝罪する

● 聞いてみよう（p. 39）

①会話1　　　面談の約束に遅れたこと
　会話2　　　コーヒーをお客さんの服にこぼしてしまったこと
　会話3　　　チケット代を返せないこと
　会話4　　　恋人に隠れて合コンに行ったこと

②会話1　（お待たせして、）すみませんでした。
　会話2　申し訳ございません！
　会話3　ごめん。（今日お金持ってないから、あしたでいい？）
　会話4　本当にごめん。（お詫びに何でも言うこと聞くから、許して！　お願い！）

● くわしく学ぼう

練習（p. 41）
①先生、すみません！　お約束のことをすっかり忘れてしまって…。大変申し訳ありません。
②お客様、誠に申し訳ございませんが、そちらの商品はただいま在庫を切らしております。
③あ、すみません！　何とお詫びしたらいいか…。本当に申し訳ありません。

練習（p. 42）
①あっ、ごめん！
②ほんとに申し訳ない！　修理代は全部出すから。
③ごめん、今日返すはずだったお金、忘れてきちゃった。

● まとめの練習（p. 44）
①ごめん、借りてた自転車、盗まれちゃったんだ。うっかり鍵をかけ忘れちゃって。私の責任だから、新しいの買って返すね。
②お届けが遅くなってしまい、大変申し訳ございません。高速道路が事故で渋滞していたものですから…。
③あっ、昨日メールありがとうございました。バイトで帰りが遅くて、すぐにお返事できなかったんです。すみません。

セクション2　謝罪に答える

● 聞いてみよう（p. 47）

①会話1　　　急にアルバイトに呼び出したこと　　a
　会話2　　　秘密をほかの友達に話したこと　　　b
　会話3　　　明日の約束に行けなくなったこと　　c

②**会話1** いえ。今日は空いていましたので、どうぞご心配なく。
　会話2 謝って済む問題かよ。
　会話3 どういうこと？

● くわしく学ぼう

練習（p. 49）
①いえいえ、こちらは全く構いませんので、どうぞお気になさらないでください。
②いいよ。私もさっき来たばかりだし。
③あ、ちょっとかかっただけだから大丈夫ですよ。

練習（p. 50）
①なんでそういうことするの、許せない！
②えっ、ちゃんと予約したのに、どういうことですか！　大切な日なんですから何とかしてください。
③謝って済む問題じゃないでしょ！　どうしてくれるんですか！！

練習（p. 51）
①そうですか、どうなさったんですか。
②えっ、どういうことですか。
③えっ、どうしたの？

● まとめの練習（p. 51）
①気にしないで。近所のケーキ屋さんで買ってくればいいし。
②どうしたんだよ。遅れるなら遅れるって連絡しろよ。
③これ、気に入ってたんですよ。弁償していただけるんですよね？

セクション3　　総合練習

● 聞いてみよう（p. 53）
1. ①［1］ベークドチーズケーキを頼んだのに、レアチーズケーキが入っていたこと
　　②許した。代金を返してもらった。
2. ①［1］資料を作ってこなかったこと
　　　　［2］遅刻したこと
　　②受け入れなかった。不満を言い続けた。

ユニット4　誘う

セクション1　　誘う

● 聞いてみよう（p. 55）
①**会話1**　🖼　　来月のゴルフコンペに参加すること　　　　　　　　　😊

会話2　🙂🙁　ボランティア活動に参加すること　　　　　　　🙁
会話3　🙂🙁　来週の日曜日にアニメフェスティバルに行くこと　🙂
会話4　🙂🙁　今週末に美術展を見に行くこと　　　　　　　　🙁

②会話1　（来月、弊社でゴルフコンペを行うのですが、もしよろしかったら）いらしていただけませんか。
　会話2　（私たちボランティア活動をしているんですけど、もし興味があったら）一緒にどうですか。
　会話3　（来週の日曜日、アニメフェスティバルがあるんだけど、暇だったら）一緒に行こうよ。
　会話4　（美術展の招待券もらったんだけど、もしよかったら）今週末一緒に見に行かない？

● くわしく学ぼう
練習（p.57）
①主任、今晩、駅前のビアガーデンで一杯どうですか。
②先輩、今度みんなで釣りに行くんですけど、先輩もいらっしゃいませんか。
③ダンスサークルに入りませんか。

練習（p.58）
①ねぇねぇ、今度ケーキバイキングに行こうよ。
②タイ料理好きだったら、一緒にどう？
③二次会はカラオケに行かない？

● まとめの練習（p.60）
①3時から見学会があるんですが、よかったら来ませんか。
②日曜のナイターのチケット2枚手に入れたんだ。予定空いてたら、一緒に行かない？
③映画とか興味ありますか。もしよかったら、今度一緒にどうかなと思って…。

セクション2　　誘いに答える

● 聞いてみよう（p.63）
①会話1　🙂🙁　お昼を食べに行くこと　　　　　　　　　a
　会話2　🙁　　焼肉を食べに行くこと　　　　　　　　　b
　会話3　🙁　　フットサルの練習試合に参加すること　　c

②会話1　行く行く！
　会話2　せっかくですが、僕ベジタリアンなので…。申し訳ありません。
　会話3　すみませんが、予定を確認させていただいてからでもいいですか。

● くわしく学ぼう
練習（p.65）
①はい！　ぜひご一緒させて下さい。

②うん、行きたい！
③はい、喜んでお供させていただきます。

練習（p. 66）
①すみません。興味ありません。
②実は先約がありまして…。伺えず申し訳ありません。
③カラオケかぁ。すごく行きたいんだけど、今、風邪で喉が痛いからなぁ…。

練習（p. 67）
①すみませんが、予定を確認してからお返事してもよろしいでしょうか。
②彼女の予定を確認してからでもいい？
③いやー、登山はしたことがないので、ちょっと考えさせていただいてもいいですか。

● **まとめの練習**（p. 68）
①あー…。うーん。バンジージャンプですか…。実は私、高い所が苦手で…。ほかのスポーツだったらぜひご一緒したいんですが…、すみません。
②あした？　実は、彼の仕事が休みみたいで、昼から一緒に出かけるかもしれないんだ。確認してみるから、後で連絡するのでもいい？
③えっ、ライオンキング！？　いいね、行きたい！　実はまだ見たことなかったんだ。

セクション3　　総合練習

● **聞いてみよう**（p. 70）
1. ①［1］レスティが出る芝居を見に行くこと
　　②時間と場所を確認して、見に行くことにした。
2. ①［1］高尾山に行くこと
　　②はっきり答えなかった。

ユニット5　申し出をする

セクション1　　申し出をする

● **聞いてみよう**（p. 73）
①会話1　　　お茶
　会話2　　　テレビの録画予約を代わりにすること
　会話3　　　アルバイトを紹介すること
　会話4　　　代わりに来客にお茶を出すこと

②会話1　（よろしかったら）お茶をどうぞ。
　会話2　僕がやりましょうか。

会話3 （困ってるなら）俺の働いてるカラオケ店、紹介しようか。
会話4 私が代わりに行ってあげるよ。

◉ くわしく学ぼう

練習（p.76）
①お皿を洗うのをお手伝いさせてください。
②先生、僕のをお使いになりませんか。
③課長、よろしければ私が見てみましょうか。

練習（p.79）
①お茶飲む？
②俺が代わりに行ってもいいけど。
③私が買って来よっか。

◉ まとめの練習（p.80）
①よかったら一緒に見る？
②時間あるし、探すの手伝うよ。
③よろしかったら、お茶のおかわりはいかがですか。

セクション2　　申し出に答える

◉ 聞いてみよう（p.83）
①会話1　　消しゴムを貸すこと　　　　　a
　会話2　　コーヒーのおかわり　　　　　b
　会話3　　家までタクシーで送ること　　c

②会話1　ありがとう！　助かる！
　会話2　もう帰りますので、どうぞお気遣いなく。
　会話3　でもご迷惑じゃありませんか。

◉ くわしく学ぼう

練習（p.85）
①ありがとう。助かるよ。
②ごめん、ありがとう。
③すみません。どうもありがとうございます。

練習（p.86）
①ありがとうございます。でも、実は図書館で借りてきたところなんです。
②ありがとうございます。でも、すぐに降りますので、どうぞお気遣いなく。
③一人で行けるから大丈夫だよ。ありがとう。

練習（p. 87）
①えっ、ご迷惑じゃないですか。
②ええっ、こんなにいただいちゃってよろしいんですか。なんだか申し訳ないです。
③えっ、いいの？

● **まとめの練習**（p. 88）
①ありがとうございます。お気持ちは嬉しいんですが、あしたはちょっと…。学校に手続きに行くことになっているので。
②えっ、でも僕一人だけのためになんてご迷惑ですし…。
③えっ、いいの？　ほんとに助かるよー。

セクション3　　総合練習

● **聞いてみよう**（p. 90）
1. ①［1］荷物を階段の上まで持っていくこと
   ②最初は申し出を断ったが、最後には受け入れた。
2. ①［1］ヒーターを貸すこと
   　［2］ヒーターをファティマのうちまで車で持っていくこと
   　［3］ヒーターを部屋の前まで持っていくこと
   ②部屋の前までヒーターを持っていくことを受け入れた。

ユニット6　助言する

セクション1　　助言する

● **聞いてみよう**（p. 93）
①会話1　券売機の取り消しボタンを押して、やり直すこと
　会話2　電池パックを交換すること
　会話3　忘れものセンターに電話してみること
　会話4　午後2時までにラーメン屋に行くこと

②会話1　一度取り消しボタンを押してやり直してみてはいかがですか。
　会話2　電池パックを交換したほうがいいかもしれないですね。
　会話3　「忘れ物センター」に電話してみたら？
　会話4　（あの店ならスープがなくなりしだい閉店しちゃうから、）午後2時ごろまでに行かなきゃだめだよ。

● **くわしく学ぼう**

練習（p. 95）
①それなら、カイルアビーチで一日のんびり過ごされてはどうですか。

②それなら、新宿にあるトゥッパというレストランがいいかもしれません。
③例文がたくさんのっている本を使ったほうがいいですよ。

練習（p. 97）
①会話が上手になりたいなら、ドラマを見たらいいんじゃない？
②早退して、病院に行ったほうがいいよ。
③こっちのパソコンにしたらどう？

◉ **まとめの練習**（p. 100）
①先輩、週末に行かれるなら、予約をしてから行ったほうがいいかもしれません。土日はとても混むんです。
②あ、今日午後から雨が降るみたいだから、傘を持っていったほうがいいよ。
③このままでもおいしいですが、もう少しお酢を入れたらもっとおいしくなると思いますよ。

セクション2　助言に答える

◉ **聞いてみよう**（p. 103）
①会話1　　　　漢字の勉強のために、日本語の本をもっと読むこと　　　a
　会話2　　　　飲むのをやめること　　　　　　　　　　　　　　　　　b
　会話3　　　　深夜のアルバイトはやめたほうがいいこと　　　　　　　c

②会話1　はい、そうします。どうもありがとうございます。
　会話2　ほっといてよ！　今日は飲まずにはいられないの！
　会話3　そうかなぁ？　でも時給いいから迷うなー。

◉ **くわしく学ぼう**

練習（p. 105）
①はい、そうします。アドバイスありがとうございます。
②うん、そのほうがいいよね。そうするよ。
③はい、わかりました。

練習（p. 106）
①鍼？　そんなの怖くて無理！
②今日中にこの資料仕上げなきゃいけないんだ。
③あー、どうですかねぇ…。

練習（p. 108）
①そうですね…。考えてみます。
②うーん、どうしようかなぁ。
③そう思われますか。やっぱり運動したほうがいいですかねぇ。

● まとめの練習（p. 108）

① そうですね。確かに歩くのはちょっと大変ですよね。ありがとうございます。
② あ、うん。じゃあ、区切りが付いたら、帰るようにするよ。
③ すみません。そうします。心配してくれて、ありがとうございます。

セクション3　総合練習

● 聞いてみよう（p. 111）

1. ①［1］禁煙すること
　　　［2］禁煙外来に寄ること
　②受け入れた。
2. ①［1］就職活動のためにTOEICを受けること
　　　［2］面接で勤務地の希望を自分から言わないこと
　②受け入れた。感謝した。

ユニット7　不満を伝える

セクション1　不満を伝える

● 聞いてみよう（p. 113）

① 会話1　　2週間前にお願いした推薦状を教授がまだ書いてくれていないこと
　 会話2　　クリーニングに出したら、気に入っていたドレスが縮んでしまったこと
　 会話3　　ドルジと友達がうるさいこと
　 会話4　　貸したデジカメをカルロスがなくしたこと

② 会話1　この間お願いした推薦状なんですが、どうなっていますでしょうか。応募の締め切りが迫っていまして…。
　 会話2　この間クリーニングに出したドレスが縮んじゃってたんですけど。
　 会話3　悪いけど、ちょっと静かにしてくれないかな。勉強してるんだから。
　 会話4　何それ？　信じられない！　新しいの買って返してよ。

● くわしく学ぼう

練習（p. 116）

① 予約していたのにどういうことですか。大事なお客様のために予約したんです。どうにかしてください。
② あの、僕が先に並んでたんですけど。ちゃんと後ろに並んでもらえますか。
③ 夜中にもワンちゃんの鳴き声が聞こえるんですが、なんとかしていただけないでしょうか。うるさくて、よく眠れないんです。

練習（p. 118）
①おい、なんで飲んだんだよ！ これ高かったんだぞ。一体どうしてくれるんだよ！
②あれ、これソースみたいだけど、しょうゆって言わなかったっけ？
③ちょっと、ここ図書館だよ。もう少し静かにしなよ。

● まとめの練習（p. 120）
①ねえ、このページが破れて無いんだけど、どういうこと？
②先生、そんな急にあしたって言われましても困ります。できれば、もとの締め切りに戻していただけませんか。
③すいません。ここ禁煙席なので、やめてもらえませんか。

セクション2　言われた不満に答える

● 聞いてみよう（p. 123）
①会話1　禁煙の車の中でたばこに火をつけたこと　　　a
　会話2　パソコンを持ってこなかったこと　　　　　　b
　会話3　待ち合わせで相手より遅く来たこと　　　　　c

②会話1　ごめん。
　会話2　私はいつものように先生がご用意くださると思っていたものですから。
　会話3　なんで？

● くわしく学ぼう
練習（p. 125）
①あ、すいません。
②ごめんごめん。待ち合わせの時間、勘違いしちゃってた。お詫びにおごるよ。
③あっ、忘れてた！ ごめん。次から気をつけるよ。

練習（p. 126）
①えっ、課長が1時半からとおっしゃったので、そのつもりでおりました。
②それは先生が悪いんじゃないでしょ。文句言ってる暇があったら、もっと勉強して。
③ええっ、うそなんて言ってないし！

練習（p. 127）
①申し訳ございません。いかがなさいましたでしょうか。
②えっ、ちょっ、ちょっと待って。何の話？
③ごめん、金曜日までじゃなかった？

● まとめの練習（p. 128）
①え、すぐにちゃんと返したよ。誰かほかの人が使ってるんじゃない？

②大変申し訳ございません。すぐにお取り替えいたします。
③ごめんごめん。今度から気をつけるから。

セクション3　　総合練習

◉ 聞いてみよう（p. 130）
1. ①[1] 予約したはずのフライトが取れていなかったこと
   ②謝った。同じ日の違う便を手配した。
2. ①[1] バイトを休むことを店長に伝えることになっていたのに、伝えなかったこと
   ②謝った。店長に説明すると言った。

ユニット8　ほめる

セクション1　　ほめる

◉ 聞いてみよう（p. 133）
①会話1　　　先輩の新居がすてきなこと
　会話2　　　囲碁が強いこと
　会話3　　　ゆうこの兄がかっこいいこと
　会話4　　　英検1級に合格したこと

②会話1　すてきなお宅ですねー！
　会話2　大会で優勝されるなんて、お強いんですね！
　会話3　お兄ちゃん、かっこいいね！
　会話4　英検1級合格したんだって？　すごいね！

◉ くわしく学ぼう

練習（p. 135）
①課長、とてもお上手ですね！
②いやー、中山さんはゴルフがお上手でいらっしゃいますね！
③高木さん、髪型変えたんですか。とてもお似合いです！

練習（p. 137）
①そのスカートかわいいね。
②このハンバーグ、おいしい！
③彼／彼女おしゃれだね。

◉ まとめの練習（p. 138）
①お食事、とてもおいしかったです。奥様お料理が本当にお上手なんですね。
②佐々木さん、ボウリングすごくお上手なんですね。私も佐々木さんぐらい上手になりたいです。

③満点なんて、すごいね！　いいなー。

セクション2　　ほめことばに答える

● 聞いてみよう（p. 141）
①会話1　　　仕事が早いこと　　　　　　　　a
　会話2　　　いつもお弁当を作ってくること　　b
　会話3　　　ジェネビブの指輪がかわいいこと　c

②会話1　そう言っていただけて嬉しいです。
　会話2　いえ、そんなことないです。料理が好きなだけなので。
　会話3　ほんと？　彼氏に買ってもらったんだ。

● くわしく学ぼう
練習（p. 143）
①恐れ入ります。
②ありがとうございます。そう言っていただけて嬉しいです。
③いいでしょ。私も気に入っているんだ。

練習（p. 144）
①えーっ、全然そんなことないよ。
②いやぁ、一生懸命勉強はしてますけど、まだまだです。
③いえいえ。そんな、お恥ずかしいです。

練習（p. 146）
①先輩のかばんこそ、かっこいいですよー。
②えー、本当？　これ彼／彼女に選んでもらったんだ。
③えっ、そうですか。

● まとめの練習（p. 146）
①本当？　よかったー。でも、これネットで見つけたレシピなんだ。
②あ、ありがとうございます。これからももっとがんばります。
③ううん、たいしたことないよ。ほかに得意なことないしね。

セクション3　　総合練習

● 聞いてみよう（p. 149）
1. ①［1］山田の息子が車から荷物を下ろすのを手伝ってくれたこと
　　　［2］山田の息子がよく勉強していること
　②はっきりとは受け入れなかった。

2. ①［1］日本語の上達がとても早いこと
　　　［2］敬語が上手なこと
　　　［3］たくさんの外国語を勉強していること
　②敬語が上手だということだけ受け入れた。